PEARSON

Montréal Toronto Boston Columbus Indianapolis New York San Francisco Upper Saddle River
Amsterdam Le Cap Dubaï Londres Madrid Milan Munich Paris
Delhi México São Paulo Sydney Hong-Kong Séoul Singapour Taipei Tokyo

Développement de produits
Pierre Desautels

Supervision éditoriale
Liette Beaulieu

Révision linguistique
Francine Tardif

Correction d'épreuves
Jocelyne Tétreault

Demande de droits
Chantal Bordeleau

Direction artistique
Hélène Cousineau

Supervision de la production
Muriel Normand

Conception graphique et couverture
Sylvie Morissette

Édition électronique
Interscript

Dans cet ouvrage, le générique masculin est utilisé sans aucune discrimination et uniquement pour alléger le texte.

Membre du groupe Pearson Education depuis 1989

5757, rue Cypihot
Saint-Laurent (Québec) H4S 1R3
CANADA
Téléphone: 514 334-2690
Télécopieur: 514 334-4720
info@pearsonerpi.com
http://pearsonerpi.com

Dépôt légal – Bibliothèque et Archives nationales du Québec, 2012
Dépôt légal – Bibliothèque et Archives Canada, 2012

Imprimé au Canada
ISBN 978-2-7613-4641-2

1234567890 MI 16 15 14 13 12
20644 ABCD ENV94

À tous ceux qui ont fait le choix d'être enseignant,
qui, par leur investissement et leur dévouement, seront signifiants,
parfois même déterminants pour des centaines, voire des milliers d'élèves…

À tous les enseignants et autres personnes
qui travaillent en milieu scolaire, qui, par leur passion
et leur engagement, réussissent à faire des miracles chaque jour…

À ma petite Léa, que je verrai partir pour l'école…
et qui côtoiera l'un d'eux.

AVANT-PROPOS

Il a suffi d'une invitation à rencontrer de futurs enseignants dans une classe universitaire, lancée par mon ancien professeur de didactique, pour que le projet prenne forme. Alors que j'étais bombardée de questions pertinentes et concrètes par ces étudiants à la veille de décrocher leur baccalauréat, j'ai échangé un sourire complice avec le professeur et... une idée a germé : pourquoi ne pas produire un outil d'information et d'aide pédagogique pour les enseignants, les futurs, les nouveaux et même les anciens ? Le type de guide que j'aurais moi-même aimé consulter quand j'ai commencé à enseigner.

Mon principal objectif, celui qui a guidé la rédaction de ces pages, est d'offrir un outil de référence comprenant l'information de base sur le fonctionnement d'une école primaire ou secondaire, la tâche de l'enseignant, les règles de classe, les comités, le protocole et les procédures, bref, tout ce qu'on ignore lorsque sa carrière débute *pour vrai* et qu'on passe de la théorie à la pratique.

Chaque page a été rédigée avec le souci d'informer, d'éclairer et de faire réfléchir sur sa pratique professionnelle. Désireuse de tracer un portrait juste de ce qui se vit en milieu scolaire, j'ai consulté divers professionnels et des directeurs de commissions scolaires tout au long de l'élaboration de ce guide. Des témoignages d'enseignants et des exemples concrets appuient également certains chapitres.

Rédigés par Georges Laferrière, professeur de didactique à l'UQAM, les textes *Du fond de la classe* permettent de profiter du point de vue d'un homme qui a formé des cohortes d'enseignants pendant 40 ans. Ses écrits se veulent une synthèse des thèmes abordés et un regard sur ce métier qui le passionne toujours autant.

Cet ouvrage vous accompagnera à chaque étape de l'année scolaire et sera, nous l'espérons, de bon conseil. L'humour s'est intégré naturellement à l'écriture parce que rigueur et plaisir font bon ménage en enseignement... et parce que les enseignants vivent à l'école certaines situations où l'humour est souvent un allié, une façon de désamorcer les conflits et de relativiser bien des difficultés. En espérant que ce concentré d'informations saura répondre à vos interrogations tout à fait légitimes en début de carrière et qu'il vous permettra de peaufiner votre pratique, je vous souhaite une bonne lecture !

Isabelle Dion

Diplômée de l'UQAM, ***Isabelle Dion*** *est conseillère pédagogique à la Commission scolaire de Montréal (CSDM) et a été enseignante au secondaire en milieu défavorisé. En 2009, la Fédération des professionnelles et professionnels de l'éducation (FPPE) du Québec lui a décerné le prix ENVOL, attribué à une professionnelle ou à un professionnel de moins de 35 ans pour souligner son leadership, son dynamisme, ses activités de recherche et ses réalisations.*

Georges Laferrière*, Ph. D., est professeur en didactique de l'enseignement primaire et secondaire et a été doyen de la Faculté des arts de l'UQAM. Auteur de plusieurs ouvrages sur la pédagogie et la didactique, il est régulièrement invité à prononcer des conférences dans des universités à l'étranger.*

INTRODUCTION

Demain, j'enseigne se veut un livre pratique. Que ce soit au primaire, au secondaire, en formation professionnelle ou à la formation générale des adultes, que vous soyez titulaire ou spécialiste, débutant ou vétéran, vous enseignez tous à des groupes d'élèves. Qu'ils aient 5 ou 55 ans, vos apprenants ont, tout comme vous, des attentes, et vous devez les guider, les informer et leur apprendre à apprendre. Vous pourrez vous inspirer d'un chapitre, des expériences de collègues ou des pistes de solutions offertes. L'essentiel est que vous puissiez réfléchir à votre pratique en adaptant le contenu à votre réalité, à votre style d'enseignement et à votre clientèle.

Ce livre, qui répond à des questions fréquemment posées, n'est pas un outil pédagogique où l'on nage dans la théorie et un métalangage complexe. Au contraire, il plonge dans le concret, s'appuie sur des exemples, reste collé à ce qui se vit dans les classes et traite des différents éléments qui touchent le milieu scolaire. Ce guide a pour objectif d'aborder la pédagogie de façon pragmatique et accessible. Il comporte trois thèmes principaux – trois parties –, chacun étant subdivisé en courts chapitres.

MOI, MA CLASSE

Cette première partie de l'ouvrage s'intéresse aux aspects liés directement à la pratique enseignante : la relation maître-élève, l'encadrement et le fonctionnement d'une classe.

MOI, MON MILIEU SCOLAIRE

Dans la seconde partie, on explique la tâche de l'enseignant, on décrit sommairement les comités, les ressources et les membres du personnel qui œuvrent en milieu scolaire.

MOI, MA COMMISSION SCOLAIRE ET L'ENVIRONNEMENT PÉDAGOGIQUE

Pour conclure, la troisième partie apporte des précisions sur le fonctionnement d'une commission scolaire, fait un survol du renouveau pédagogique et donne des conseils pour solliciter un emploi dans une commission scolaire.

Pour une navigation efficace dans les chapitres, vous retrouverez les mêmes rubriques de l'un à l'autre – à quelques variantes près. Les descriptions suivantes précisent la nature de ces rubriques. À vous de consulter celles qui vous intéressent. Vous pourrez aussi y revenir en cours d'année.

EN OBSERVATION

Au début de chaque chapitre, vous pourrez lire le témoignage d'un enseignant, le récit d'une situation type ou, simplement, la nomenclature de faits et de modes de fonctionnement. Le tout est « en observation », c'est-à-dire mis en contexte puisqu'il s'agit d'un événement qui peut se produire en classe ou d'un constat qui y est lié.

Le but ? Créer un contact direct avec vous, lecteur. Aller au cœur de la question... *comme si ça vous arrivait.*

LA LEÇON DE...

À la manière d'un instrument didactique ou d'une prescription pédagogique, cette rubrique présente, sous la forme de leçons, des points essentiels à la compréhension de la situation qu'on vient d'observer : leçons de vie en classe, expulsion d'un élève, relation avec les élèves, etc. Bref, on y aborde des points de référence, il y est question d'outils concrets et de pistes à suivre, et on y formule des réflexions et des conseils basés sur ce qu'on a vu sur le terrain.

Le but ? Vous faire réfléchir. Vous aider à faire le lien avec votre expérience d'enseignant... *comme une leçon de vie.*

À VOS DEVOIRS

Cette section sert de guide, d'outil de planification qui vous aidera à bâtir vos propres instruments. Car ce livre n'a pas la prétention de tout régler ! Vous devez apprendre à vous en servir le crayon à la main, en inscrivant vos commentaires dans la page blanche prévue à cet effet – Ma page personnelle –, en notant au passage dans la marge ce qui vous semble pertinent, afin de vous donner ensuite un plan de travail applicable dans votre classe.

Le but ? Vous permettre de vous approprier le contenu du présent guide. De trouver des pistes, de développer des stratégies, de planifier vos interventions... *comme un devoir personnel.*

LA RÉCUPÉRATION

Dans cette section, l'essentiel du chapitre sera résumé. Comme lors d'une récupération avec les élèves, on revoit les notions importantes, on fait des tableaux synthèses.

C'est le moment de regrouper vos idées, vos points forts, vos petites surprises, pour que vos interventions en classe soient senties, ludiques et pédagogiques.

Le but ? Vous aider à fixer les connaissances indispensables dans votre mémoire… *comme le fait une récupération après la classe.*

DU FOND DE LA CLASSE

À la fin de chacun des chapitres, vous trouverez un texte signé Georges Laferrière. Rédigées sous une forme « poético-philosophico-pédagogique », ces réflexions non censurées se veulent celles d'un être imaginaire qui serait présent au fond de la classe. Des réflexions écrites à la manière d'un superviseur de stage ou d'un enseignant associé observant le nouveau ou le futur enseignant. Parfois… non politiquement correct. Souvent… s'adressant au cœur plutôt qu'à la raison. Sans cesse… recherchant le détail oublié. Une invitation à transcender la situation pour mieux réfléchir à l'avenir.

Le but ? Vous permettre de prendre du recul. Une sorte de distanciation, un point de vue autre… *comme celui des gens au fond de la classe.*

PSITT !

C'est une onomatopée significative en classe, dont l'effet sonore a un impact assuré ! C'est pourquoi, çà et là dans les chapitres, vous trouverez des passages en exergue intitulés *Psitt !* : ceux-ci sont porteurs d'anecdotes, de rappels, d'idées maîtresses à souligner, etc.

Leur but ? Attirer votre attention sur un détail. Vous aider à tirer profit de l'instant présent, des mots inscrits sur la page... *comme un clin d'œil complice.*

Les informations de ce guide pratique apportent donc des réponses aux principales interrogations que tout enseignant en devenir se pose ou voudrait éclaircir avant de se lancer dans la profession. Bien sûr, il a fallu sélectionner les connaissances que nous jugions essentielles ou dont la maîtrise était plus pressante, voire urgente, puisque le temps est précieux lorsque la cloche sonne…

Et justement, comme ce temps est précieux, débutons avec la lecture du premier chapitre qui nous guide dans la préparation de la rentrée scolaire... parce que ***Demain, j'enseigne !***

TABLE DES MATIÈRES

Avant-propos v
Introduction vii

PREMIÈRE PARTIE : Moi, ma classe 1

Chapitre 1 : Septembre : par où commencer ? 3
Chapitre 2 : Établir ses règles 23
Chapitre 3 : La relation maître-élève 39
Chapitre 4 : Expulser un élève de la classe 55
Chapitre 5 : Transmettre sa flamme… sans se brûler ! 77

DEUXIÈME PARTIE : Moi, mon milieu scolaire 95

Chapitre 6 : La tâche de l'enseignant 97
Chapitre 7 : Les principaux comités, les membres de l'équipe-école et autres renseignements utiles 119
Chapitre 8 : Le rôle du psychoéducateur et du technicien en éducation spécialisée 139

TROISIÈME PARTIE : Moi, ma commission scolaire et l'environnement pédagogique 159

Chapitre 9 : Le renouveau pédagogique et les parcours de formation 161

Chapitre 10 : La commission scolaire : portrait et fonctionnement 171

Chapitre 11 : Solliciter un emploi dans une commission scolaire 181

Conclusion 191

PREMIÈRE
PARTIE

MOI, MA CLASSE

SEPTEMBRE : PAR OÙ COMMENCER ?

ÉTABLIR SES RÈGLES

LA RELATION MAÎTRE-ÉLÈVE

EXPULSER UN ÉLÈVE DE SA CLASSE

TRANSMETTRE SA FLAMME
SANS SE BRÛLER !

SEPTEMBRE : PAR OÙ COMMENCER ?

OBJECTIFS

- Prendre le temps d'organiser sa classe et prévoir le matériel nécessaire.
- Déterminer le mode de fonctionnement en classe et en informer ses élèves et leurs parents.
- Organiser des sorties avec ses élèves.
- Planifier des activités signifiantes pour ses élèves et établir une routine de classe.
- Être indulgent envers soi-même pour maintenir sa motivation tout au long de l'année scolaire.

En observation

LA PYROMANE

Assis au fond de la classe, je m'assurais d'avoir terminé ma composition avant que ne retentisse le son tant attendu de la cloche qui me libérerait de mes chaînes invisibles. Parce que pour moi, Alexandre Martin, aller s'asseoir chaque matin sur le même banc, dans la même classe, avec les mêmes contraintes – c'est-à-dire être avalé par l'imposante porte à deux battants de mon école primaire, qui me recrachait à 15 h 10 – était une punition quotidienne, heureusement atténuée par les divines dix minutes de plein air où je pouvais exceller au ballon-chasseur. Dix minutes pendant lesquelles j'exprimais dans chaque lancer mon aversion pour mon statut obligé d'élève.

Avec les années, les bulletins se sont accumulés, confirmant que j'étais dans la moyenne, parfois même en deçà. En fait, mes notes reflétaient parfaitement mon état d'esprit et ma motivation : faire ce qu'on me demande, pas plus, pas moins. Juste ce qu'il faut pour être sur la ligne, dans le rang.

J'aurais sûrement continué mon cheminement d'élève moyen si, en 3e année du secondaire, ELLE n'était venue renverser la vapeur et activer mon cerveau amorphe. Mais pour qui se prenait-ELLE pour ainsi modifier mes confortables habitudes ? De quel droit éveillait-ELLE en moi ces pulsions, ces envies ?

Je ne vais pas vous décrire le début d'une passion torride avec une fille de mon âge, la découverte de sensations et de sentiments partagés – ça, c'est une histoire que je préfère garder pour moi. S'il y avait des sentiments nouveaux au fond de moi, du genre de ceux qui vous tenaillent, qui vous allument l'œil et qui vous font chanter sous la douche, ils étaient plutôt liés à de nouvelles formules, à des projets, à des découvertes… Étais-je en train de devenir fou ?

Qui était-ELLE pour implanter de force en moi un sentiment jusqu'alors inconnu ? Le bonheur… à l'école ! À 15 ans, j'avais pourtant l'âge où les statistiques jouaient contre moi, où tous les facteurs faisaient en sorte que ma motivation atteindrait bientôt le point mort. Moi qui étais censé amorcer la pente du décrochage, j'étais au contraire tout d'un coup devenu curieux et enthousiaste, pendant les 30 heures que je passais à l'école. Ce n'était pas prévu.

Tout ça, à cause d'ELLE, cette enseignante qui a réussi à susciter chez moi de l'intérêt pour une situation géographique, à me faire sourire en me racontant une anecdote historique, à m'émerveiller devant un phénomène scientifique. Cette véritable pyromane a allumé une étincelle qui est devenue flamme, puis feu. Un feu qui ne s'est jamais éteint, d'ailleurs.

ELLE avait une façon originale de nous considérer nous, ses élèves, et ce, malgré notre nombre. Valorisant nos différences comme des marques uniques et précieuses, soulignant nos particularités comme si chacun de nous possédait un don qu'il était le seul à détenir. Avec ELLE, on se sentait Einstein, Da Vinci, Jules Verne ! Inutile de dire que mes notes ont gravi des sommets, à mesure que croissaient mon implication et mon intérêt en classe.

Les bulletins se sont succédé, les diplômes se sont multipliés, et cette flamme brûle encore. Comment a-t-ELLE réussi ce tour de force, même à distance ?

Aujourd'hui, des années plus tard, assis à l'avant de ma classe, je regarde mes élèves terminer leur composition avant que ne retentisse le son de la cloche. J'espère que les 30 enfants devant moi n'ont pas envie de couper leurs chaînes et qu'ils quitteront la pièce avec l'impression d'avoir réussi, acquis un bagage supplémentaire, appris une anecdote à raconter… et surtout, qu'ils ont hâte de revenir demain. Je m'appelle Alexandre Martin, je suis enseignant.

En début d'année, prenez le temps de planifier

Que l'on enseigne depuis 20 ans ou pour la première fois, la rentrée scolaire est la même pour tous, à quelques variantes près. Les mêmes questions légitimes se posent. Comment seront nos groupes ? Quels élèves aurons-nous ? Aurai-je le temps de livrer le contenu du programme ? Untel s'est-il assagi pendant les vacances ou, au contraire, sera-t-il encore plus en forme pour divertir la classe ? On dit que les jours se suivent, mais ne se ressemblent pas : c'est aussi vrai pour les années scolaires. D'un groupe à l'autre, il faut savoir s'adapter et s'ajuster.

Prenez le temps de planifier. Faites preuve de prévoyance et servez-vous de vos compétences : chaque début d'année scolaire exige de l'organisation. Même quand on a de l'expérience, même si on a des activités gagnantes au programme.

Pour vous aider, vous trouverez dans les pages qui suivent la liste des activités incontournables qui vous permettront de vivre une rentrée harmonieuse et de planifier votre année scolaire.

À cette liste, nous ajoutons à la page 14 une grille détaillée d'éléments pratiques indispensables dont il faut faire l'inventaire avant le jour J. Une fois que vous aurez tout en main, vous serez fin prêt à être efficace en classe.

Organisation de l'espace physique et du matériel

ORGANISEZ VOTRE ESPACE DE TRAVAIL

Le temps investi dans la planification ainsi que dans l'organisation du matériel et de l'espace physique est primordial. Vous serez plus à l'aise dans un environnement que vous aurez adapté à votre façon d'enseigner. La classe est votre territoire, le lieu où vous transmettrez des connaissances et où s'effectueront des apprentissages.

Sur votre liste d'élèves, il y a 29, 30, 32 noms ? Le nombre de pupitres et de chaises encombre peut-être l'aire de travail… Il faut parfois user d'ingéniosité et utiliser ses talents d'architecte pour optimiser l'espace : créer, malgré les contraintes, une classe conviviale qui accordera un espace vital minimum à chacun. En d'autres mots, essayez de créer un lieu aéré, où les élèves ne seront pas entassés comme des sardines, même s'ils doivent être regroupés en équipes. De cette façon, on restreint les distractions, les mauvais jumelages.

FAVORISEZ L'AUTONOMIE DES ÉLÈVES

Lorsque vous aménagerez votre classe, ne perdez pas de vue l'objectif suivant : rendre l'élève autonome. Pour ce faire, structurez un espace de travail qui facilitera l'intégration d'une routine, des méthodes de travail, des exigences et des résultats attendus. Par exemple, regroupez des éléments, identifiez (par un chiffre, un mot, une lettre, un code de couleur) le matériel et l'endroit où il doit être rangé. Prévoyez du matériel pour le nettoyage et le rangement. On voit qu'une classe est organisée au premier coup d'œil : des repères visuels guident les élèves, le matériel est à sa place et l'espace est aménagé selon la clientèle et ses besoins.

PSITT !

Plus les codes seront clairs, plus l'espace de travail sera organisé et fonctionnel et plus vos élèves seront autonomes et auront de la facilité à se retrouver au quotidien… Et surtout, vous serez moins essoufflé à la fin de la journée !

NE PRENEZ PAS RACINE : CIRCULEZ !

Il est important que vous puissiez circuler librement entre les rangées de pupitres. Si vous donnez votre matière tout en vous promenant ou si vous interrogez vos élèves à partir du fond de la classe, non seulement vous captez leur intérêt, mais vous passez un message : « Vous êtes dans MA classe. Je maîtrise le lieu et l'espace. » Un essai vous convaincra.

À VOS MARQUES, PRÊT, NETTOYEZ !

Faire régner l'ordre dans le désordre est utopique. Bien sûr, le temps manque en début d'année et on ne peut pas tout faire, mais sachez qu'une classe en ordre reflète un enseignant organisé, et vos élèves le remarqueront. Prenez le temps de nettoyer votre local et remplacez les affiches des concours littéraires datant des années 1990 par de nouvelles. Personnalisez-le avec des plantes, un aquarium, une bibliothèque, un éclairage différent. Certains enseignants ajoutent des gélatines de couleur (une sorte de pellicule-filtre utilisée pour les projecteurs de scène) afin d'adoucir la lumière crue des néons. D'autres apportent une chaîne stéréo pour travailler au son de la musique… Votre classe est un lieu spécial, rendez-la agréable, sécuritaire et unique !

PRIORISEZ LES REPÈRES VISUELS ET NON LES SOURCES DE DISTRACTION

Lorsque la classe est vide, assoyez-vous à la place d'un élève pour vérifier ce qu'il voit. S'il faut enlever certaines affiches (superflues ou désuètes) et limiter les objets ou les images qui risquent de le distraire, vous le remarquerez. Ne surchargez pas les murs. Affichez l'essentiel, car les élèves ont besoin de repères visuels afin de pouvoir s'y référer rapidement. Au fil des jours, vous pourrez retirer des images ou en ajouter de nouvelles en rapport avec les notions transmises.

PLACEZ VOS REPÈRES VISUELS DE FAÇON STRATÉGIQUE

Des affiches (photos, images, pictogrammes) sont nécessaires : vous y ferez référence quand vous expliquerez un concept ou pour faciliter l'intégration d'une routine ou d'une procédure à suivre. Elles vous permettront également de faire un rappel sans paroles : vous n'aurez qu'à les pointer en évoquant une règle de classe, par exemple.

Vous pourrez aussi utiliser ces images, dans certains cas, pour délimiter des zones de travail dans la classe (comme l'espace de manipulation ou le coin lecture). Ces repères visuels sont essentiels en début d'année, afin d'établir une dynamique de groupe tout en facilitant l'assimilation graduelle de la routine de classe. Ces images se veulent rassurantes, et elles seront indispensables à des apprentissages parfois difficiles pour les élèves, tant la quantité d'informations est importante. À vous de cibler les repères visuels prioritaires en début d'année et d'insister sur ces derniers en y faisant référence quotidiennement. Vous pourrez en ajouter au fil des semaines, lorsque la routine sera intégrée parfaitement.

PSITT !

Pourquoi ne pas prendre vos élèves en photo pour illustrer le comportement, l'attitude ou la procédure à adopter ? Leur attention sera captée à coup sûr lorsque vous y ferez référence ! Ne dit-on pas qu'une image vaut mille mots ? (Célèbre adage inventé par un enseignant, c'est certain !)

VÉRIFIEZ LE MATÉRIEL SCOLAIRE

Vos élèves ont-ils tout le matériel indiqué sur leur liste de fournitures scolaires ? Il est important d'en faire la vérification et le décompte en début d'année et de s'assurer que tous ont les outils nécessaires pour fonctionner. Faites un rappel aux parents, selon votre clientèle, et informez-vous auprès de la direction des ressources offertes à l'école ou dans le quartier à l'intention des élèves issus de milieux défavorisés. Une banque de dépannage ou certaines mesures ont peut-être été mises en place pour leur venir en aide. Prévoyez également un emplacement et un système pour consigner le surplus de matériel ou celui qui sera utilisé en cours d'année. N'oubliez pas d'identifier soigneusement chaque article. Informez les élèves des conséquences liées à un oubli de matériel ou du port d'un vêtement spécialisé ou de sécurité. Soyez clair et insistez sur les raisons qui motivent la nécessité de se procurer les fournitures demandées.

Mode de fonctionnement général

FONCTIONNEMENT DE LA CLASSE ET SYSTÈME DE COMMUNICATION

Afin d'être rassurés, certains apprenants ont besoin de plus d'encadrement et de balises que d'autres, tant la transition d'une année à l'autre est un changement important, et les repères, différents de ceux qu'ils ont connus précédemment. En début d'année, les explications doivent donc être répétées souvent pour que vos élèves les retiennent – et que les parents en soient informés, le cas échéant. Remettez aux parents un résumé de votre façon de fonctionner en classe, dans lequel vous expliquerez les grandes lignes de votre système d'émulation, de vos attentes et exigences, des devoirs et des leçons, des signatures exigées dans l'agenda, des codes et légendes, des examens et de leur pondération, des méthodes d'évaluation, des périodes de récupération, de vos projets, des activités en classe et des sorties pendant l'année, des occasions spéciales, etc.

Il est important d'indiquer à vos élèves (et à leurs parents) comment vous joindre (par écrit, dans l'agenda, etc.). De cette façon, on évite les surprises lors du premier bulletin et on s'assure que le suivi des apprentissages et du comportement est connu non seulement des élèves, mais aussi de leurs parents. Informez également vos élèves de vos disponibilités ou des périodes de récupération où vous répondrez à leurs questions.

PLANIFICATION DE SORTIES ET D'ACTIVITÉS À L'EXTÉRIEUR

Vous prévoyez sortir avec vos élèves ? Bonne idée ! Toutefois, pour n'en rapporter que de bons souvenirs, n'oubliez pas ces quelques éléments : avoir en main un téléphone cellulaire, les autorisations parentales, l'horaire des activités, la liste des élèves et celle des numéros de téléphone des personnes à contacter en cas d'urgence (numéros de l'école, du chauffeur d'autobus, adresse et numéro de téléphone de l'endroit où vous allez, numéros des parents, etc.) Assurez-vous que vos élèves apportent leur carte d'assurance maladie, leur lunch, une bouteille d'eau et une collation, et qu'ils portent des vêtements et des chaussures convenant à l'activité prévue. Il est parfois souhaitable qu'ils apportent des vêtements de rechange – cela dépendra de leur âge et de la nature de l'activité. Vous devez également emporter une trousse de premiers soins.

Vous pouvez ajouter à la liste de la crème solaire, un parapluie, des collations et des lunchs supplémentaires. Rappelez aux élèves la date de la sortie quelques jours avant, et faites de même avec la direction de l'école et vos collègues de niveau. Vérifiez que l'activité est bien inscrite dans chaque agenda et rappelez-vous, si le départ et l'arrivée se font en dehors des heures de classe, que les élèves et les parents doivent en être avisés.

Quelques jours avant la sortie ainsi que le jour du départ, expliquez clairement (ou répétez) vos règles lors des déplacements dans la rue, en autobus et pendant l'activité. Assurez-vous que vos élèves savent quoi faire en cas d'urgence ou s'ils s'égarent.

Faites de cette journée un événement en préparant vos élèves. Les périodes **avant, pendant et après** sont très importantes ! **Avant** : en faisant, par exemple, des activités en lien avec le lieu que vous visiterez. Ce travail préparatoire augmentera leur intérêt et soutiendra leur attention. **Pendant** la journée : en leur donnant des pistes d'observation et d'écoute, en divisant le groupe en équipes pour que leur attention soit dirigée sur un ou des éléments en particulier. **Après** l'activité : en revenant sur cette journée, en veillant à ce que les découvertes soient mises en commun, etc.

PSITT !

Jumelez vos jeunes élèves du primaire — et ceux qui sont de nature anxieuse — en équipe de deux lors de cette journée afin de les rassurer et de faciliter les déplacements et la prise de présence. Certains enseignants attribuent à chacun un numéro de 1 à… selon le nombre d'élèves. Lors de la prise des présences, les élèves doivent, dans l'ordre, dire leur chiffre haut et fort, en levant la main. Méthode facile et rapide pour prendre les présences plusieurs fois pendant la journée !

Planification des routines et des activités pédagogiques

TENEZ COMPTE DES IMPRÉVUS

Planifiez vos activités en fonction du temps réel des périodes, c'est-à-dire prévoyez d'autres choses à faire au cas où l'activité principale ne se déroulerait pas comme vous l'aviez anticipé ou si elle se terminait avant l'heure prévue. En enseignement, on a autant besoin de solutions de rechange, de « plans B », que de bonnes cordes vocales… ou de craies ! Pour éviter ce genre de situation, gardez à portée de la main une chemise contenant des idées d'activités additionnelles. Ces dernières pourront également servir « d'activités de dépannage » si vous devez vous absenter et que vous n'avez pas eu le temps de planifier le travail à faire.

ORGANISEZ DES ACTIVITÉS SIGNIFIANTES

« Vous devez planifier des activités en lien direct avec leurs apprentissages, faire un lien avec les notions transmises et les apprentissages réels. Vous devez les rejoindre par des activités signifiantes. » Tout enseignant connaît ces formules à la mode en milieu scolaire, mais les applique-t-on vraiment en classe ? Lassés, perdus peut-être, à cause de ce jargon pédagogique, certains enseignants préparent leurs cours et leurs leçons sans tenir compte du niveau de compréhension de leurs élèves. « On doit passer à travers le programme. Point. » Toutefois, c'est une avenue qui limite les interactions et surtout l'actualisation de leur potentiel.

Faire des liens entre les notions à transmettre et les élèves, cela signifie qu'on doit les faire participer et les rejoindre directement. Divisez le programme de façon à leur laisser des périodes où ils pourront échanger, manipuler, bref, prendre le temps de saisir l'essentiel de votre message. Vous capterez ainsi leur attention et vous optimiserez les chances qu'ils intègrent la matière que vous leur avez enseignée.

SUSCITEZ L'INTÉRÊT DES ÉLÈVES

Comment faire pour les rejoindre ? C'est pourtant simple. Oubliez le langage pédagogique spécialisé, qui embrouille parfois les idées, et retenez **qu'enseigner, c'est entrer en relation**.

Interrogez vos élèves sur leurs connaissances du sujet en cours. Donnez des exemples concrets, en lien avec l'actualité ou avec des expériences passées. Faites-les parler de ce qu'ils savent déjà sur le sujet. Regroupez-les en équipes pour en discuter. Rejoignez-les avec des anecdotes, des faits insolites ou des situations vécues, pour que s'effectue le fameux « transfert de connaissances ».

Les élèves doivent sentir que tout ça les concerne et essayer des choses à leur rythme, en fonction de leur mode de compréhension. Posez-leur des questions pièges. Improvisez-vous animateur de jeu-questionnaire, ou mieux : faites-leur rédiger les questions. Captez leur attention avec des faits historiques ou une légende. Incitez-les à trouver des exemples. Confrontez (avec respect) leurs convictions, de façon qu'ils entendent d'autres points de vue, renforcent leurs croyances et développent leur sens de l'argumentation. Vous verrez comme la théorie sera plus agréable à transmettre, comme les périodes passeront vite !

Nous avons tous appris à parler, à marcher, à faire du vélo à notre rythme, selon notre personnalité, notre mode de fonctionnement. Il nous a fallu regarder, évaluer, essayer, puis recommencer afin de peaufiner notre technique. Dans l'enseignement, c'est la même chose. Nous devons trouver LA façon, LA phrase, L'élément clé qui produira l'étincelle et déclenchera le fameux: «Ah! là, je comprends!»

Sortez des sentiers battus, acceptez d'être déstabilisé par les idées de vos élèves. Vous manquez d'inspiration? Créez une banque de suggestions avec vos élèves, laissez-vous guider par un album jeunesse, un film, un conte, une chanson... Tout peut être sujet à la créativité, laissez-vous inspirer!

CRÉEZ DES ROUTINES

Faire participer ses élèves exige un minimum d'encadrement pour conserver le contrôle de la classe. Il faut y réfléchir et s'y préparer en début d'année.

Établissez un code pour pouvoir obtenir le silence et gérer les échanges. Vous pourriez nommer un surveillant du temps de parole, un animateur, etc. Vous désirez que vos élèves participent ou manipulent quelque chose? Au besoin, ayez le matériel nécessaire ou déplacez les pupitres et les chaises avant la période. Ayez un plan clair en tête, afin de pouvoir guider les élèves, gérer les échanges et garder le contrôle de votre classe. Par exemple, l'équipe des Rouges déplace les tables, les Verts distribuent les feuilles, et ainsi de suite. Vous pouvez même apprendre à les connaître, en demandant à ceux qui sont dans l'équipe de soccer, par exemple, de distribuer le matériel (ou à ceux dont le nom de famille commence par «M», etc.). C'est un moyen ludique de les intéresser à ce qui se passe en classe.

PSITT !

Les routines sont parfois difficiles à instaurer puisqu'elles exigent patience et répétitions. Persistez. Les élèves en ont besoin et se sentent en sécurité lorsqu'ils sont encadrés. Lorsque les routines seront intégrées, non seulement renforceront-elles l'autonomie des élèves, mais elles vous permettront de respirer un peu... Avec le temps, un élève pourra même diriger une activité.

ADOPTEZ UN OUTIL DE CONSIGNATION

Choisissez un «outil» dans lequel vous consignerez le suivi des apprentissages de vos élèves, ainsi que toute l'information liée à leur comportement, aux absences, retards, etc. Opterez-vous pour une liste d'élèves, un cahier, une grille? L'important, c'est que vous disposiez d'un portrait juste de l'évolution et des acquis de vos élèves. Cet outil essentiel doit être mis en place dès le début de l'année. Il sera des plus utiles lors de la rencontre avec les parents. Les travaux des élèves méritent également d'être consignés dans un portfolio: ainsi, vos élèves pourront suivre leur progression et se trouver une méthode de travail. L'utilisation du portfolio s'intègre souvent à la routine de classe.

Préparation physique et mentale de l'enseignant

BRILLEZ DE TOUS VOS FEUX!

Soignez votre apparence, vous êtes observé. Il n'est pas question de devenir des cartes de mode ou de se maquiller à outrance, mais d'être conscient que vous avez un auditoire, et que vous êtes un modèle, une référence pour vos élèves. Vous souvenez-vous d'un enseignant qui avait une haleine de café, les cheveux en bataille, des vêtements tachés ou, pire encore, une dentition où l'on pouvait deviner ce que contenait son lunch du midi? Voulez-vous qu'on se souvienne de vous pour ce genre de raison? Soyez à la hauteur de vos compétences!

PSITT!

Coup de fatigue, baisse d'énergie? Souvent, les classes n'ont pas de fenêtres et le manque de lumière et d'aération rend certaines journées fort longues! Prenez l'habitude de profiter de l'heure du lunch pour aller marcher, même si vous êtes débordé, même si vous devez rencontrer une collègue, même si... Enfilez votre manteau et sortez, ne serait-ce que quelques minutes. Ces petites pauses à l'extérieur maintiendront votre énergie et votre moral à la hausse.

SOYEZ INDULGENT À VOTRE ÉGARD

«Je ne l'ai pas. Je n'y arrive pas. Je ne suis pas capable...» STOP! Il n'y a pire juge que vous-même. Soyez tolérant et indulgent envers vous. Une période, un événement s'est mal déroulé? Pas de panique. Ces incidents ponctueront votre carrière et feront en sorte que vous apprendrez à les gérer avec aplomb... avec le temps. Tirez profit de ces incidents pour apprendre des choses sur vous-même, sur votre métier, sur vos élèves, sur votre milieu professionnel. Ce qui compte, c'est votre façon d'aborder ce défi, savoir aller frapper à la bonne porte pour obtenir un conseil, des appuis. Vous travaillez avec des individus: leur humeur, leur vécu, l'annonce d'une tempête de neige, la fébrilité dans l'attente d'une activité, une déception les rendent sujets à des perturbations. Cessez de croire que vous êtes l'unique responsable de ce qui se passe. Exigeant envers vos élèves, vous l'êtes également envers vous-même. Mais vous devez miser sur les éléments positifs afin de conserver votre motivation, parce que c'est elle qui fait qu'on aura envie de vous suivre. N'oubliez pas qu'**un enseignant motivé motive ses élèves**. Un enseignant déprimé… Vous connaissez la suite. Souriez et amusez-vous. Un enseignant de bonne humeur, qui aime son travail, a de bonnes chances de captiver son auditoire. Après tout, n'exerce-t-il pas le plus beau métier du monde ?

À vos devoirs

À faire et à prévoir en début d'année scolaire

Voici la liste des indispensables : c'est une évidence pour certains, un aide-mémoire pour la plupart. À vous de bonifier cette grille en fonction de votre expérience. Elle est suivie d'une grille vierge que vous pourrez personnaliser. Cet outil de planification et d'organisation vous permettra, à chaque rentrée, de prévoir le matériel nécessaire et d'éviter les fâcheux imprévus !

PLANIFICATION DE LA RENTRÉE SCOLAIRE : LISTE DES INDISPENSABLES

ORGANISATION PHYSIQUE	FAIT !	À FAIRE	NE S'APPLIQUE PAS
Repérer ma ou mes salles de classe – la course, c'est bon pour la forme, mais le stress est nocif… Mieux vaut prévoir !			
Avoir la ou les clés des locaux que j'utiliserai : salles de classe, salle des enseignants et toilettes à proximité de préférence !			
Prévoir suffisamment de chaises et de pupitres pour la classe.			
Repérer le local du concierge pour les urgences. Il sera votre allié tout au long de l'année. Faites-vous-en un complice !			
Avoir une copie de mon horaire et du calendrier scolaire. (Affichez-les à plusieurs endroits : dans la classe, dans la salle des enseignants, à la maison, etc.)			

Faire une esquisse de mon plan de classe. (Au besoin, demander l'aide du technicien en éducation spécialisée pour éviter les mauvais jumelages.)			
Afficher mes règles de classe. (Faire des liens avec le code de vie.)			
Afficher les périodes où j'offre de la récupération.			
PLANIFICATION DU MATÉRIEL	**FAIT !**	**À FAIRE**	**NE S'APPLIQUE PAS**
Connaître et vérifier le fonctionnement du tableau blanc interactif (TBI) ; avoir suffisamment de craies, de feutres non permanents et de brosses à tableau.			
S'assurer que la connexion Internet fonctionne. Connaître le mot de passe permettant d'y accéder, le cas échéant.			
Vérifier si les élèves ont besoin d'écouteurs et si l'école les fournit.			
Vérifier le fonctionnement du matériel avant la période, si possible, et prévoir une activité de rechange… au cas où.			
Posséder une copie du code de vie et informer les élèves de certains règlements.			
Avoir suffisamment de copies pour les activités (plus quelques copies supplémentaires…).			
Prévoir du matériel supplémentaire (crayons, effaces, feuilles mobiles) ou favoriser le partage entre élèves.			
Avoir des billets d'absence et des formulaires d'expulsion de classe à portée de la main.			
PROCÉDURES ET PROTOCOLES	**FAIT !**	**À FAIRE**	**NE S'APPLIQUE PAS**
Avoir un code ou une carte qui permet de faire des photocopies. S'informer si on a accès à une imprimante dans la salle des enseignants.			
S'informer de la procédure concernant l'impression en grande quantité : formulaire à remplir, qui l'autorise, quel est le délai de réception ?			
Avoir une adresse courriel active de la commission scolaire.			
Avoir le code et le mot de passe pour accéder au site Internet qui permet d'entrer les notes, d'extraire les listes d'élèves et d'avoir les numéros de téléphone des parents et tuteurs.			
S'informer de la procédure d'emprunt de matériel comme les projecteurs, ordinateurs portables, téléviseurs…			

Avoir les codes et les mots de passe des élèves afin d'accéder aux ordinateurs, le cas échéant.			
Connaître la procédure pour réserver la bibliothèque, le local d'informatique, l'auditorium…			
Avoir le numéro de la personne à contacter si je suis malade ou en retard.			
Rencontrer le conseiller pédagogique pour connaître la liste des manuels disponibles. Demander s'il est possible d'en commander au besoin.			
S'informer de la procédure pour la prise des présences et les retards : billet à remplir, signature dans l'agenda, etc.			
S'informer de la procédure d'expulsion d'un élève de la classe : interphone, local de retrait, billet à remplir, etc.			
S'informer des personnes qui peuvent intervenir en classe si j'ai besoin de soutien ou de ressources pour maîtriser une situation complexe (psychoéducateur, technicien en éducation spécialisée, membre de la direction, etc.).			
PLANIFICATION POUR MES GROUPES D'ÉLÈVES	**FAIT !**	**À FAIRE**	**NE S'APPLIQUE PAS**
Avoir les listes d'élèves (à jour, de préférence !).			
Avoir une chemise pour le suivi des élèves (incluant listes d'élèves avec leurs coordonnées, document pour consigner l'information comme le nombre d'absences, de retards, de devoirs non faits, etc.). Prévoir une chemise de suppléance.			
UN PETIT PLUS, UTILE DURANT LES PREMIERS COURS	**FAIT !**	**À FAIRE**	**NE S'APPLIQUE PAS**
Cartons et feutres pour que les élèves puissent, au premier cours, écrire leur nom et le placer bien en vue sur leur pupitre.			
Écrire mon menu du jour au tableau – comme à chaque période !			
Préciser mes règles de classe et les attentes mutuelles.			
Prévoir de courtes activités pour la fin de la période : quiz, énigmes, charades, etc.			
Instaurer ma routine de classe dès les premiers cours.			

MA GRILLE PERSONNALISÉE

PLANIFICATION DE LA RENTRÉE SCOLAIRE	FAIT !	À FAIRE	NE S'APPLIQUE PAS

MA PAGE PERSONNELLE

La récupération

Les gestes indispensables en début d'année

- Prenez le temps d'organiser votre espace de travail de façon à créer un lieu fonctionnel où il vous sera facile de circuler en tout temps. Afin de favoriser l'autonomie de vos élèves, disposez le matériel de façon logique et identifiez-le, de même que les espaces de rangement.
- Prenez le temps de nettoyer votre classe, de la mettre en ordre. Discipline et chaos ne font pas bon ménage. Créez un endroit convivial, agréable, accueillant et sécuritaire. Cette classe sera un élément motivant pour vos élèves.
- Assoyez-vous à différents endroits dans la classe pour connaître le point de vue de l'ensemble des élèves. Assurez-vous de la pertinence des affiches qui ornent les murs et enlevez les objets qui risquent de détourner leur attention et de les distraire.
- Utilisez des repères visuels signifiants, qui font un lien avec la matière enseignée ou qui indiquent les règles à suivre. Vous pourrez vous y référer pendant l'année. Servez-vous-en pour identifier des endroits précis dans la classe ou les étapes d'une routine.
- Assurez-vous que vos élèves possèdent le matériel scolaire requis et renseignez-vous sur les ressources disponibles pour les élèves issus de milieux défavorisés. Conservez le surplus de matériel dans un endroit sécuritaire après avoir vérifié qu'il est bien identifié.
- Indiquez à vos élèves et à leurs parents (selon votre clientèle) quel est votre mode de fonctionnement et quel système de communication vous utiliserez.
- Lors des sorties ou des activités à l'extérieur, prévoyez le matériel nécessaire et veillez à avoir en main les numéros des personnes à contacter en cas d'urgence. Préparez vos élèves à cette journée en les informant des règles à suivre lors des déplacements et planifiez des activités en lien avec cette journée pour maximiser son impact sur les participants (**avant, pendant et après**).

- Choisissez les activités en fonction de vos élèves et pensez à des activités supplémentaires, en cas d'imprévus. Trouvez des façons de les faire participer, de susciter leur intérêt en les questionnant et en leur donnant des exemples concrets. Faites des liens entre la matière enseignée et vos élèves. Leurs connaissances antérieures permettent souvent de faire le rapport avec celles qui suivront.
- Déterminez des règles de fonctionnement avant la période où des activités de manipulation sont au programme. Vous devez être organisé. Les élèves ont besoin de consignes claires et précises.
- Créez des routines. Elles exigent patience et répétitions, mais elles sont essentielles pour le bon fonctionnement d'une classe. Les élèves se sentent en sécurité dans un cadre stable et cohérent.
- Ayez un outil de consignation où vous noterez les apprentissages et l'information touchant le comportement de vos élèves. Vous y compilerez aussi les absences et les retards. De même, les élèves ont intérêt à conserver leurs travaux dans un portfolio. Ces outils sont essentiels lors de vos rencontres avec les parents.
- Vous êtes des modèles pour les élèves, alors soignez votre image. Soyez à la hauteur de vos compétences ! De plus, soyez indulgent à votre égard. Tout ne repose pas sur vos deux épaules ! Soyez fier de vos réussites et tirez parti de vos échecs, car ils vous permettront d'acquérir de l'expérience.
- Souriez, amusez-vous. Un enseignant de bonne humeur, qui aime son travail, a toutes les chances de captiver son auditoire.

Du fond de la classe

par Georges Laferrière

LE PREMIER PAS

Du fond de la classe... Une présence invisible, immatérielle ou imaginaire épiait nos gestes, écoutait nos commentaires... du moins le croyait-on.

En fermant les yeux... on la voyait mieux. En ouvrant les yeux, même si elle avait disparu, on savait qu'elle était encore là. Dès la première journée, comme « nouveau prof », on le savait... on pouvait sentir, ressentir cette présence.

Dans le silence, on l'entendait bien dans notre tête. Elle parlait, commentait, disait : « Ça va aller... ça va mieux... ça va bien ! » Même si, parfois, on sentait que tout dérapait sous nos pieds.

On se calme... on sourit... on recommence ! Même si on avait envie de crier, de sévir, de disparaître. On entendait une voix, on sentait une présence... comme si un mentor, un esprit bienfaisant et une douce musique... nous accompagnaient !

Mes meilleurs souvenirs, ceux que j'aime me rappeler, sont faits de comportements et d'êtres chers. Cela inclut le souvenir de mes professeurs d'école...

J'ai souvenance de leur attitude, de leur comportement, de la transmission d'un goût, d'un amour, d'une passion... et bien peu de leur matière de classe !

Le miroir et le renvoi de l'image. Le souvenir en relation avec le pouvoir... celui qu'on se donne et celui qu'on nous accorde. L'importance de la place du professeur en pédagogie.

Tout cela résonnait dans ma tête... et je raisonnais dans l'instant qui passait. *Carpe diem,* profite de l'instant qui passe.

Le moment était venu d'entrer en classe. Faire face à ma carrière d'enseignant. Prendre le temps de bien m'installer, pour me permettre d'installer des contenus et des idées. Et, surtout, m'amuser !

La formation ne dépend pas toujours de la transmission d'un savoir, mais souvent de la réflexion sur une situation vécue. Lire, analyser, voir, critiquer, à partir d'indices qui sont les formes premières de l'apprentissage : savoir être.

Du fond de la classe, une présence qui, comme les élèves, nous écoutait !

CHAPITRE 2

ÉTABLIR SES RÈGLES

OBJECTIFS

- Cibler et définir ses règles de classe et ses attentes.
- Être prêt à appliquer les conséquences qui découlent du non-respect d'une règle.
- Adopter un mode de fonctionnement basé sur le renforcement positif.
- Établir un système d'émulation qui incite au changement.

En observation

LES MÉTHODES INFAILLIBLES

(Témoignage d'Anna Rodriguez, enseignante)

« SILENCE ! Taisez-vous !
Vous deux, restez à vos places, SINON... »

Sinon... Sinon quoi ? En fait, je n'avais aucune idée de ce que mon ton menaçant annonçait, à part une perte de contrôle évidente de ma classe. Certains riaient, d'autres me regardaient d'un air méprisant, quelques-uns semblaient surpris, peut-être même déçus de me voir démunie et me rendre ridicule. Me voir crier debout, cachée derrière mon bureau, puis ouvrir la porte et menacer d'expulser non pas un, mais trois élèves — qui ne me craignaient pas plus que le Bonhomme Sept Heures —, tout ça me rendait encore plus vulnérable. La période était perdue et je ne savais pas comment rétablir la situation. Pourtant, je continuais à proférer des : « Dernier avertissement ! » et des « C'est la dernière fois que », en essayant d'expliquer que les Iroquois habitaient dans des maisons longues, et qu'à l'examen final, il était important de le savoir, SINON... » En fait, mes menaces n'effrayaient personne. On continuait à chuchoter, à rire, et certains me tournaient même le dos.

À la fin de la journée, assise dans la salle des enseignants, j'avais beau me demander ce que j'aurais pu faire pour m'en sortir, aucune solution ne me venait en tête tant j'étais assommée. Je devais me rendre à l'évidence : mes élèves m'avaient envoyée au tapis, je m'avouais vaincue — pour cette période en tout cas. Le reste de l'année, ça sera une autre affaire. Je ne me laisserai pas abattre, je vais trouver une solution. En attendant un éclair de génie, j'allais essayer de me relever de ce pénible K.-O.

Consulter mes collègues sur leur façon d'intervenir en classe devenait inévitable : certains d'entre eux, plus expérimentés, pourraient sûrement m'inspirer. J'ai donc mis mon orgueil de côté et, grâce à leurs précieux conseils, j'ai découvert plusieurs méthodes de prévention et d'intervention.

La méthode militaire : Ne rien laisser passer et, surtout, ne pas sourire de septembre jusqu'en décembre était LA solution gagnante selon l'enseignante de français qui essayait de me convaincre tout en corrigeant ses nombreuses copies.

La draconienne : Miser sur les retenues de groupe, en silence, en ajoutant une minute au temps de « détention » pour chaque commentaire émis, ou encore exiger qu'un élève présente ses excuses au groupe pour la perte de temps occasionnée. Ces mesures étaient infaillibles, selon l'enseignante d'arts plastiques, qui était justement en train de composer le numéro de téléphone d'un parent pour l'informer d'un comportement inacceptable de sa progéniture.

La classique : Copie, réflexion, devoir supplémentaire, selon la gravité de l'incident. Évidemment, pour que la méthode fonctionne, la signature des parents doit figurer sur les travaux demandés. « Pour ajouter de la crédibilité... et pour qu'ils aient la trouille le soir, en rentrant chez eux », enchaînait en souriant l'enseignant d'éducation physique, fier de son coup.

La relationnelle : Une rencontre individuelle permettant d'analyser et d'évaluer le cas, de discuter (de la gravité de l'incident, de la fréquence des actions posées, de la répétition ou non du comportement) et de faire prendre à l'élève une forme d'engagement. Cette façon de responsabiliser le fautif m'était expliquée en détail par l'enseignante de sciences.

L'esprit d'équipe : Cette méthode m'a été recommandée par l'enseignant d'anglais, qui m'a offert de m'associer à d'autres collègues qui enseignent au même groupe, afin que nous unissions nos forces pour passer un message clair : nous formons une équipe. Il me proposa de rencontrer mes élèves pour les informer qu'ils auraient des devoirs supplémentaires en anglais si leur comportement ne s'améliorait pas dans ma classe de mathématiques. Si son offre était intéressante et touchante, parce qu'elle était un signe d'empathie, elle était peu efficace, à ce stade-ci, pour bâtir ma propre crédibilité.

« OK ! OK ! Stop ! » Je me rendais compte que chacun avait sa méthode. Je saisissais que, au fil des ans, chacun avait développé, en fonction de son expérience, une façon d'agir qui s'adaptait à sa personnalité, à son groupe, à son style d'enseignement. Je ne me voyais pas m'empêcher de sourire pendant des semaines, mais je pourrais faire l'essai de la rencontre individuelle, par exemple.

Comme je revoyais le groupe le lendemain, j'ai décidé de mettre ma matière de côté et de prendre le temps d'expliquer mes règles, de revoir mes attentes. J'ai recommencé à zéro. Je ne savais pas encore comment j'allais réagir, mais j'allais y réfléchir et élaborer mon propre système infaillible.

...

Le jour où un enseignant me demandera quelle est ma méthode d'intervention, je lui révélerai les grandes lignes de ma gestion de classe, mais aussi l'essentiel, ce que j'ai appris avec effort : il faut savoir se relever et se faire confiance. Et mettre au point sa propre méthode.

Les règles de classe

C'est dans la nature humaine, certains ont un tempérament autoritaire. Dès leur plus jeune âge, ils se démarquent par leur autorité naturelle, ils sont nés pour faire régner l'ordre et la paix. Par contre, la tâche d'imposer des règles ou de gérer des comportements pèse à d'autres et leur cause des maux de tête. Quelle que soit votre nature profonde, que vous soyez Malien ou Abitibien, Balance ou Taureau, fils de militaire ou de hippie, vous faites maintenant partie du même club : celui des enseignants. Si vous voulez vous faire respecter et respecter vos apprenants, vous devez instaurer un climat de travail propice aux apprentissages. Cet encadrement est non seulement nécessaire au bon fonctionnement d'une classe, mais c'est une responsabilité que les enseignants doivent assumer au même titre que l'appropriation et la transmission du programme scolaire.

Instaurez un cadre sécuritaire

Rappelez-vous vos meilleurs enseignants, ceux qui éveillent en vous des souvenirs heureux, un sentiment de confiance. Ceux qui vous ont donné envie de vous dépasser. Essayaient-ils d'imiter vos gestes, les expressions à la mode à l'époque ? Étaient-ils une pâle copie de l'adolescent que vous étiez ? Ce genre d'attitude attire peut-être l'attention des élèves, mais ils s'en lassent rapidement, préférant s'allier à des gens de leur âge. Comment était l'ambiance dans la classe de cet enseignant tant aimé ? Climat chaotique, ambiance bruyante ? Un espace où régnaient dynamisme, rigueur et plaisir ? Les élèves ont besoin d'un leader motivé et motivant, comme tout apprenant d'ailleurs. Et s'ils sont en période de quête d'identité, ils ont besoin de modèles et de balises pour se développer pleinement dans une atmosphère stable et contrôlée.

Toutefois, cela ne signifie pas que la classe doive devenir un endroit austère et fermé aux interactions, mais plutôt un espace où l'on pourra apprendre et échanger en respectant des règles et en répondant à des exigences. Cette nuance est importante, puisqu'on associe, souvent à tort, encadrement et mauvais climat de classe. Marie-Josée Lemelin, technicienne en éducation spécialisée à l'école Père-Marquette de la Commission scolaire de Montréal, croit fermement qu'apprentissage et encadrement sont indissociables : « C'est dans la sécurité que les liens se créent. À l'école, nous essayons d'inculquer cette notion à nos enseignants. »

Mélanie Martel, psychoéducatrice à la même école, abonde dans ce sens. « Souvent, on entend les élèves dire : "Ah lui, y'est *full cool* !" Mais ce n'est pas long que le vent tourne. Avec les élèves, c'est souvent noir ou blanc. Ils disent : "Lui, il est *full cool,* c'est mon meilleur prof !" jusqu'au moment où l'enseignant donne une retenue. Il devient alors le pire. Les élèves ne s'y attendent pas, la conséquence devient encore plus émotive. Il n'y a plus d'objectivité, il ne reste que l'émotion négative. »

En début de carrière, c'est légitime de vouloir créer de bons liens avec ses élèves. Nous ne voulons pas figurer à la première place de leur liste noire. Cependant, lorsqu'on veut être « l'ami » de ses élèves, on finit inévitablement par se les mettre à dos et par perdre le contrôle de sa classe.

Pour respecter ses élèves et se faire respecter d'eux, il est primordial de leur expliquer ce qu'on attend d'eux, de fixer des règles claires et précises et de s'y soumettre tout au long de l'année en appliquant les conséquences dès le premier jour, si nécessaire.

Prenez le temps de cibler vos règles et vos attentes

Il est plus facile de parler des règles de classe que de les appliquer dans le feu de l'action. C'est pourquoi, avant de communiquer les exigences et les règles que vous instaurerez en classe, **règles que vous devrez appliquer**, il est important de cerner celles que vous jugez essentielles au bon fonctionnement d'une classe et qui établiront un climat propice aux apprentissages. Vous devez anticiper les actions des élèves (même si la réalité diffère souvent de la théorie), et être prêt à réagir. Posez-vous les questions suivantes, par exemple.

- Comment réagirais-je si, pendant que je parle de ponctualité, un ou plusieurs retardataires entraient en classe ?
- Suis-je en mesure d'appliquer la conséquence que je viens de mentionner (annulation de sortie, retenue après la classe, etc.) ?
- Suis-je prêt à réagir si tous les élèves se mettent à me contredire ou enfreignent une règle de classe ?
- Est-ce que mes règles de classe et mes façons d'intervenir correspondent à celles du code de vie et à celles de l'école ?
- Si je sens que je n'ai plus le contrôle de ma classe, comment vais-je intervenir pour le récupérer ?
- Ai-je prévu dans la classe (ou ailleurs) un coin où mettre en retrait un élève qui a besoin de retrouver son calme ?
- Qui sont les personnes-ressources de mon milieu pouvant intervenir si un élève est en crise ou si je n'arrive pas à maîtriser la situation ? Peuvent-elles m'aider à définir mes règles de classe et les moyens de les faire respecter ?
- Quelles sont les conséquences que j'appliquerai si une règle est enfreinte ?
- Ai-je un outil de consignation (grille, liste d'élèves, cahier, etc.) où noter les comportements de mes élèves ?
- Est-ce que je vais miser sur le renforcement positif, et ajouter des mentions et privilèges, au lieu d'en retirer ?

PSITT !

Pourquoi ne pas interroger vos élèves, en début d'année, pour connaître leurs attentes et les règles de classe qu'ils souhaiteraient instaurer ? Vous pourrez par la suite communiquer les vôtres et déterminer, d'un commun accord, celles que vous adopterez en classe.

Les faire participer au système d'émulation en recueillant leurs suggestions pour des activités récompenses – sortie de fin d'année, visionnement d'un film à la fin de l'étape, déjeuner collectif – est également une façon de les impliquer. La signature d'un « contrat d'engagement » avec des objectifs personnels et collectifs est aussi une possibilité.

Misez sur la qualité, pas sur la quantité !

Attention à la surcharge ! Les règles de classe doivent être efficaces et réduites au minimum. Ciblez-en deux ou trois qui engloberont vos exigences et – c'est capital – que vous défendrez tout au long de l'année. Même au mois de mai. Même lorsque vous serez en train de donner le meilleur cours de votre vie. Même lorsque vous serez aux anges en raison de la réussite d'un ou de plusieurs élèves. Même avec votre élève préféré. Même lorsque vous serez fatigué, en fin de période, un vendredi après-midi.

Qu'attendez-vous d'eux ?

Voici des règles de classe fréquemment utilisées :

1. RESPECT
2. SILENCE
3. LANGAGE CORRECT

Bravo, les trois règles ont été déterminées, le premier pas est fait. Mais sait-on vraiment ce qu'on attend de ses élèves ? Que veut-on dire *exactement* par le mot SILENCE ? Les élèves doivent-ils garder le silence **en tout temps** ? Ou seulement lorsque l'enseignant ou un autre élève parle ?

EXPLIQUEZ et **PRÉCISEZ** vos exigences et, surtout, les conséquences du non-respect de l'une d'elles.

Si vos élèves sont très jeunes, vous pouvez, en début d'année, faire des activités en lien avec les règles de classe. Par exemple, leur faire dessiner une règle, une attitude ou un comportement inadéquat, les prendre en photo comme modèles… Servez-vous de votre créativité !

Allez droit au but !

Plus on en dit, moins notre interlocuteur en retient. Pendant notre adolescence, certains monologues de nos parents sont tombés dans l'oubli, comme si nos oreilles créaient un mur entre le flot de paroles et notre capacité à les assimiler… Une barrière naturelle s'élevait alors, en réaction à ce tsunami verbeux. Eh bien, la même chose se produit en classe : plus on en dit, plus on étire la sauce et moins on atteint la cible. Notre auditoire est habitué à faire plusieurs choses en même temps, à assimiler de l'information en accomplissant diverses tâches. Pour capter son attention, il faut être concis, précis, signifiant. Sinon… le préfixe *in* s'ajoutera facilement au dernier mot cité !

PSITT !

Les élèves se sentiront plus concernés par vos règles si vous les formulez avec « Je ». Exemples : « Je lève la main pour parler. J'attends mon tour. J'écoute la personne qui parle. »

Intervenez rapidement !

Il n'y a pas de secret : il faut intervenir aussitôt que quelqu'un enfreint une règle. Dès le premier cours, il faut être prêt à réagir, et savoir quoi faire. On vous observe. Vous donnez le ton. Appliquez rapidement les conséquences selon une gradation préétablie. Par exemple, certains enseignants vont consigner les avertissements sur une liste de présence et, lorsqu'un élève atteint un nombre donné, une conséquence suit. Il est important que vos élèves vous voient agir, que vous notiez les comportements, mais surtout que vous interveniez selon une gradation logique et non sur un coup de tête.

PSITT !

Ne menacez pas d'appliquer des conséquences que vous ne serez pas en mesure de mettre à exécution ou qui ne respectent pas le code de vie ou l'éthique professionnelle. Parfois, sous le coup de l'émotion, nos paroles dépassent notre pensée. Les conséquences sont alors parfois difficiles à appliquer, ou irréalistes. Si vous êtes préparé et prêt à réagir, vous vous éviterez des soucis et ne risquerez pas de perdre le contrôle de la classe et… votre crédibilité. **Favorisez la justice, la constance et la cohérence.**

Instaurer un cadre et un contexte qui favorisent les apprentissages, l'échange et la transmission d'information, ça ne se fait pas du jour au lendemain. Votre propre apprentissage se poursuivra au fil des jours, au fil des expériences. Pour vos élèves, ces notions s'acquièrent dans la discipline et l'encadrement et, surtout, en intégrant graduellement les règles qui composent la routine de classe. Vous noterez, au cours de votre carrière, que le succès d'une classe harmonieuse est le reflet de trois principes de base : **la justice, la constance et la cohérence**.

Ces trois principes vous accompagneront chaque jour, à chaque période.

Voici comment appliquer ces principes.

Soyez juste. Établissez des règles claires et faites-les respecter en appliquant rapidement les conséquences lorsque quelqu'un n'en tient pas compte. Soyez équitable envers tous vos apprenants, tant sur le plan de la gestion de la classe, de l'évaluation, de votre pratique, etc.

Soyez constant. Conservez la même rigueur, les mêmes exigences tout au long de l'année en ce qui a trait aux règles qui touchent le savoir-être (respect des autres, politesse, etc.). Respectez en tout temps l'éthique et vos valeurs professionnelles.

Soyez cohérent. Il est préférable de choisir une méthode de gradation des interventions afin d'éviter d'appliquer des conséquences sans réfléchir ou d'adopter des comportements incohérents. Ainsi, on n'envoie pas quelqu'un chez le directeur parce qu'il a omis de lever la main. On ne peut pas non plus adopter une attitude militaire durant une période, et tout laisser passer à la suivante… Toutefois, dans certaines situations, vous avez le droit de revoir vos règles. Si, par exemple, la moitié des élèves ne sont pas à l'heure parce qu'ils reviennent d'une activité spéciale, il n'est peut-être pas nécessaire d'appliquer la conséquence qui s'applique aux retards… Servez-vous de votre jugement.

À considérer : la notion de justice est importante, quoiqu'elle soit l'objet de réflexion tout au long de l'année, compte tenu des besoins et des défis de chacun. Il y a des règles non négociables, selon nos exigences et les règles de base du savoir-être, MAIS, dans un groupe, il y a toujours des élèves très forts, des plus faibles, des extravertis, des introvertis. Bref, certains ont des besoins particuliers, et les conséquences ne peuvent pas être les mêmes pour tous en toute occasion. Par exemple, si un élève qui a eu un comportement indésirable vit constamment du rejet, le retirer de la classe n'est probablement pas une mesure adéquate : d'autres pourront alors s'appliquer. Avertissez vos élèves que vous devrez peut-être employer d'autres conséquences au cours de l'année. De cette façon, on évite les cris à l'injustice !

Faites preuve de jugement et de discernement. Il n'existe pas de formule exacte, de recette juste et infaillible. Enseigner est un art tout en nuances. Ce qui fonctionne avec un groupe peut connaître des ratés avec un autre, et un système d'émulation qui a été une réussite l'an dernier devra être revu cette année. Observez vos élèves, prenez des notes, vous apprendrez à les connaître et trouverez ainsi la meilleure façon d'intervenir.

Adoptez une méthode qui incite au changement

Se faire dire constamment que son comportement est répréhensible, que son attitude est inadmissible, qu'on ne fait pas d'efforts, est-ce que ça incite au changement ? Et lorsqu'on reçoit une tape sur l'épaule, accompagnée d'un : « Bravo ! Bon travail, je suis fier de toi ! », on a envie de recommencer, le sourire aux lèvres, non ? Pourquoi serait-ce différent pour les élèves ?

Un système d'émulation basé sur des évaluations quotidiennes qui consistent à encercler un de ces trois visages ☺ 😐 ☹ est fréquent dans les écoles primaires. Cette méthode permet une autoévaluation rapide, mais quel est l'objectif ciblé ? Prendre conscience de son attitude ? De ses actions ? De son humeur ? Est-ce que l'objectif que nous visons est clair et compris par nos jeunes apprenants ? Qu'arrive-t-il à l'élève qui repart chaque jour avec un agenda où est encerclé un visage maussade ? « Il n'a qu'à changer d'attitude ! » répondront certains. C'est vrai. C'est ce que nous souhaitons tous, puisque nous sommes dans le domaine de l'éducation. Mais cette méthode incite-t-elle vraiment l'élève à changer ? Où puisera-t-il sa motivation ? Dans l'espoir de cocher un visage souriant ? Insistez sur les bons coups et mettez en lumière les progrès, si minimes soient-ils. Vous allumerez des sourires – des vrais, cette fois, et pas seulement sur un visage qu'il faut colorier à la fin de la journée.

Évaluez souvent

N'attendez pas la fin de la semaine, du cycle ou de l'étape pour évaluer l'attitude et le comportement de vos élèves. Faites-le fréquemment afin qu'ils aient plusieurs occasions de se reprendre. De cette façon, ils assimileront graduellement qu'ils sont responsables de leurs actes, de leurs comportements. Par exemple, si on attribue à des élèves qui ont bien travaillé dans la matinée le privilège d'avoir 10 minutes d'activité ludique, les autres voudront peut-être profiter de cette opportunité dans l'après-midi, si l'occasion se présente. Mettez en place un système d'émulation stimulant, axé sur le mode positif. Que ce soit avec des jetons ou des icônes, il est plus facile – et plus agréable pour l'enseignant ! – de récompenser que de retirer des privilèges.

PSITT !

Prévoyez dans la journée des moments « récompenses » ou « privilèges », afin d'inciter et de motiver vos élèves à respecter les règles et les consignes.

Prenez des notes !

Observez vos élèves et notez leurs bons coups… comme les moins bons. Consignez les faits, la date, la description de l'événement. Quand vous décrivez un incident, soyez précis. Cela exige du temps et des efforts soutenus, mais ces notes sont essentielles pour tracer un portrait juste d'une situation. Elles vous permettront peut-être, selon le cas, d'avoir recours aux services de professionnels (psychoéducateur, orthopédagogue, etc.). Consigner les faits vous donnera peut-être le recul nécessaire pour analyser la situation. Vous pourriez remarquer qu'un tel est systématiquement turbulent en revenant de la récréation, qu'un autre dérange ou refuse de participer lorsque vous abordez des activités axées sur la lecture… A-t-il de la difficulté à lire ? Est-ce trop ardu ? Ne connaît-il pas les consignes ?

Soyez à l'image de vos règles de classe

Les règles de classe s'appliquent également à vous, puisque vous êtes un modèle. Comme vous donnez l'exemple, si la ponctualité figure en tête de liste de vos règles, faites-vous un devoir d'arriver le premier en classe. Soyez poli et respectueux, puisque vous l'exigez de vos élèves. Vous vous attendez à ce qu'ils participent activement aux cours ? Ils attendent la même chose de vous. Bougez, circulez entre les rangées et soyez dynamique, comme eux. Enseigner, confortablement assis derrière son bureau, ne reflète pas l'image d'un enseignant engagé. Nous sommes tous des modèles, n'est-ce pas ?

Demandez à la direction, au technicien en éducation spécialisée ou au conseiller pédagogique de l'information concernant les plans d'interventions adaptées (PIA) et les feuilles de route. Ces outils sont parfois nécessaires à l'encadrement de certains élèves.

À vos devoirs

Outils et ressources pour vous aider à déterminer vos règles de classe

- Le code de vie de l'école est une source précieuse d'information. Gardez-le sous la main et faites-en la lecture à vos élèves. Harmonisez vos règles de classe avec le code d'éthique de l'école.
- Consultez le technicien en éducation spécialisée de l'école (TES) pour trouver des pistes de solutions ou obtenir des suggestions sur diverses méthodes d'intervention. Le psychoéducateur et le conseiller pédagogique peuvent également être de bon conseil.
- Interrogez des collègues expérimentés en qui vous avez confiance sur leur style de gestion et leurs moyens d'intervention. Vous pourrez peut-être vous en inspirer.
- N'hésitez pas à aller voir le directeur adjoint afin de connaître les exigences et le fonctionnement de l'école. Il appréciera qu'un enseignant souhaite mieux connaître les ressources existantes et pourra vous indiquer le nom de personnes-ressources dans votre milieu de travail.

MA PAGE PERSONNELLE

La récupération

Pour établir et maintenir vos règles de classe

- Instaurez un cadre sécuritaire dans votre classe de façon à ce que vos élèves, qui ont besoin de balises et d'encadrement pour apprendre et se réaliser, se sentent en confiance.
- Réfléchissez avant de déterminer vos règles de classe. Ciblez-en deux ou trois que vous appliquerez et maintiendrez tout au long de l'année scolaire.
- Expliquez clairement à vos élèves vos règles de classe, ce que vous attendez d'eux ainsi que les conséquences découlant du non-respect d'une règle. Soyez clair, précis et concis.
- Intervenez rapidement. On vous observe, vous devez agir selon ce que vous avez déjà dit en classe. Soyez juste, constant et cohérent.
- Prenez des notes. Consignez tous ces renseignements. Soyez précis : l'heure, la date, la description de l'incident. N'écrivez que les faits. Cette information est précieuse, car elle permet d'analyser la situation, de faire des liens et elle pourrait éventuellement vous donner le droit de recourir aux services de professionnels (orthopédagogue, par exemple).
- Consultez vos élèves pour établir vos règles de classe et recueillez leurs idées et suggestions concernant les activités récompenses reliées au système d'émulation.
- Mettez en place un système d'émulation basé sur des évaluations et des autoévaluations qui encouragent les comportements souhaités.
- Ajoutez des privilèges au lieu d'en retirer. Soulignez les bons coups et valorisez les efforts.
- Évaluez souvent afin de permettre une régulation et de donner la chance aux élèves de se reprendre dans un laps de temps assez court.

- Faites ce que je dis… et ce que je fais ! Soyez à l'image de vos règles de classe. Vous êtes des modèles, ne l'oubliez pas.

Chaque enseignant a son style de gestion. Trouvez le vôtre. Celui qui vous sécurise et vous rend confiant. Vous pouvez observer les autres pour vous inspirer, mais seul VOUS savez quel style vous convient. N'essayez pas d'être quelqu'un d'autre… vous êtes unique !

Du fond de la classe

par Georges Laferrière

LES FAMEUSES RÈGLES… OUF !

Du fond de la classe… je regardais Patrice. Immédiatement, un constat ! Il avait oublié le « code ». Par souci de séduire… Du coup, il avait perdu sa personnalité d'enseignant.

Son habillement, son langage, son tonus, sa voix… tout était faux ! Il avait perdu sa superbe ! Où était le code régissant cette rencontre avec ses élèves ?

Car il y a toujours un code quelque part. À nous de le saisir et d'en tirer profit. En effet, que ce soit la société en général, le quartier dans lequel nous vivons, l'école où nous travaillons, la classe qui nous est assignée ou la matière que nous enseignons… le code est là. Tout est codé !

Tout le monde a un rôle défini, une position à occuper. Le cadre de travail est déterminé de façon subliminale par : l'espace, le matériel, les ressources et les personnes qui y évoluent. L'ambiance devient la première perception marquante et aura un impact certain sur l'atmosphère de travail.

Comme dans le jeu, comme dans le sport... tout est soumis à des conventions. C'est dans le respect du code que nous aurons du plaisir à triompher. Tricher ne sert à rien et surtout ne sert personne. Refuser notre rôle ou nos responsabilités dans l'application du code... ne leurrera personne. On ne pourra jamais se cacher derrière soi-même. Le premier code d'un bon enseignant : sa formation disciplinaire solide qui suscitera l'admiration de la part de ses élèves... et une personnalité assumée.

Patrice avait oublié qu'il faut avoir de la rigueur d'abord pour pouvoir ensuite installer de la souplesse. L'inverse étant impossible.

Comment arriver à faire une intervention disciplinaire dans un processus éducatif sans brimer l'individu ? Comment faire sentir l'ouverture dans le cadre scolaire sans penser que l'anarchie va s'installer ? Comment et pourquoi. Voilà peut-être un indice de l'équilibre à atteindre. Comment... supposant la souplesse que l'on confie à l'individu, et pourquoi... supposant la rigueur des règles à respecter pour atteindre les résultats escomptés. Comment s'y prendre, certes, en s'interrogeant sur le pourquoi ainsi. La réponse étant dans le code... oublié ou respecté.

Du fond de la classe, je regardais Patrice et, comme les élèves... je le décodais !

CHAPITRE 3

LA RELATION MAÎTRE-ÉLÈVE

OBJECTIFS

- Établir une relation harmonieuse avec ses élèves.
- Développer chez ses élèves un sentiment d'appartenance au groupe.
- Apprendre à connaître ses élèves dans différents contextes.
- Être un modèle positif pour ses élèves.

En observation

REVENIR À L'ESSENTIEL

(Témoignage de Philippe Casaubon, enseignant au secondaire)

Dimanche soir. Je termine enfin la rédaction d'une activité qui, j'en suis certain, captivera chacun de mes 33 élèves. Les photocopies pour mon premier cours du lundi matin étaient pourtant prêtes. Toutefois, assailli d'un doute depuis vendredi 15 h 10, et n'ayant pu le chasser de mon esprit, je me suis résigné à rédiger une nouvelle situation d'apprentissage, travail complexe, certes, mais qui fera l'unanimité, je le sens. Arrivé très tôt lundi matin, j'ai eu le temps de photocopier ma nouvelle création. J'entre en classe sourire aux lèvres, motivé, certain que ma bonne humeur sera contagieuse. J'ai hâte de présenter à mes élèves les tâches à accomplir. J'ai hâte de les voir en action. Ils me remercieront sûrement de mon dévouement, du travail investi, de ma façon de m'adapter à eux et d'être à l'écoute de leurs intérêts, puisque le sujet les touchera à coup sûr.

La cloche sonne. Les élèves entrent dans la classe au compte-gouttes, aussi endormis les uns que les autres. Je les salue chaleureusement, blague avec l'un deux, essaie d'en réveiller un autre. Plusieurs sont absents. L'une se couche sur son bureau, l'autre se recoiffe. Une autre semble traîner le poids de sa vie, à la voir se déplacer péniblement jusqu'à son bureau. Ce ne sera pas facile... Ils auraient tous besoin de caféine par intraveineuse. Début du cours. Prise des présences. Je souris à pleines dents, convaincu que mon activité aura l'effet d'un électrochoc, qu'ils seront survoltés. Avec l'énergie d'un entraîneur de *fitness,* je distribue des copies encore chaudes et j'appuie mes explications sur des dessins au tableau, pour qu'ils puissent bien saisir ce que je leur demande. Toutefois, je suis interrompu régulièrement, non pas par les bâillements répétés et sonores de quelques-uns, mais par les retardataires qui franchissent la porte, billet à la main.

Chaque fois, je dois récupérer la fragile attention des élèves. Je recommence. Je distribue des feuilles aux nouveaux arrivants. Je reprends mon discours. Pendant deux à trois minutes, ça y est, je les ai. Je le sens, ils écoutent. Tous, ou presque. Puis, un bruit strident : message à l'interphone.

La voix du directeur sort de la boîte en métal fixée près du taille-crayon : il veut féliciter les joueurs de soccer de notre école qui ont participé au tournoi du week-end. « Ils nous ont bien représentés, précise le directeur, malgré la défaite en prolongation de 3 à 2. » J'assiste alors à une transformation radicale des membres du groupe. Certains élèves, qui avaient l'air de mollusques il y a cinq secondes, agissent maintenant tels des guépards prêts à attaquer leur proie. Je me rends compte que j'ai en face de moi des joueurs de soccer. Malgré mes efforts pour ramener le silence, on ne réussit pas à entendre la fin du message, enterré par les vociférations de mes athlètes déchus.

Certains se sont même levés pour répondre à une partisane de l'autre équipe. Le ton monte, les accusations s'enchaînent, et les voix (endormies, il y a à peine une minute) enflent rapidement. Pour faire taire mon assemblée, je fais clignoter les lumières, je frappe dans mes mains et sur mon bureau en me disant : « Taisez-vous, nous n'aurons pas le temps de commencer l'activité... J'y ai passé le week-end. J'ai même annulé un souper, dimanche. Encore un... »

« TAISEZ-VOUS ! » Je hurle. Aussi surprise que moi, ma classe se tait enfin. « Calmez-vous, Monsieur, vous êtes tout rouge ! » me dit une élève entre deux applications de *gloss*. Fusiller quelqu'un du regard est-il permis par la loi ? Trop tard, je fusille de l'œil droit l'apprentie cosméticienne.

Ayant repris mon souffle (et mes esprits !), je recommence mes explications. Avec, cette fois-ci, un peu moins d'entrain. Je me revois hier à mon ordinateur, enthousiaste et confiant. Déçu, craie à la main, je termine mes explications.

« Pas de questions ? » Oui. Une main levée.

« Est-ce qu'on est obligé de faire tous les numéros ?

—Ça compte pour combien ?

—J'pense qu'on a déjà fait ça l'année passée. »

Sous les protestations et les râlements, ce qui me restait d'enthousiasme vient de disparaître. Que faire ? Ouvrir la porte et m'en aller, pleurer, déchirer les copies en rageant, faire une crise de nerfs ou jouer la carte de l'humour et de la psychologie ?

Je choisis de sourire. Je me rappelle pourquoi je voulais être enseignant. Pour réussir à les conquérir tous. Moi, je ferai la différence. Moi, je serai LE prof… Je souris, tout en me disant que je ne savais pas que ce serait aussi ardu. Mais c'est dans ces moments-là qu'on apprend son métier.

Je dépose ma craie, m'assois sur le coin du bureau et recommence mon cours.

« Bonjour. Et si vous me parliez du match de la fin de semaine ? »

La relation maître-élève

Comment se fait-il que certains sont adoptés par leurs élèves dès le premier contact, tandis que d'autres se mettent à dos des groupes entiers dans les premières minutes du cours ?

Tout semble si facile, si simple pour ces heureux élus… Leurs élèves les adorent, se précipitent pour ne rien manquer du cours, participent aux activités proposées, respectent leurs consignes et s'empressent de faire les devoirs. Ces fameux veinards, qu'ont-ils de plus que les autres ? Quel charisme dégagent-ils ? Est-ce un don ? Un coup de chance ? Ont-ils puisé dans leur compte en banque pour acheter la paix en offrant des récompenses ?

Comment se fait-il que, dans une école, tel enseignant est plus ovationné que les autres lors des galas, qu'il suscite l'admiration de ses élèves et même parfois la jalousie de ses collègues ? On le voit transmettre sa matière en classe, détendu. Il a l'air d'aimer ce qu'il fait et ne semble jamais fatigué. On l'entend même rigoler avec ses élèves, parce que LUI enseigne la porte ouverte ! Détient-il de précieux secrets, transmis de génération en génération ? Peut-être. Mais, chose certaine, ces enseignants heureux ont des caractéristiques communes. Nous en ferons le survol dans ce chapitre.

Créez des liens avec vos élèves

Enseigner, c'est entrer en relation. Enseigner, c'est convaincre. Enseigner, c'est partager une passion. Enseigner, c'est plus qu'une profession, c'est même au-delà de la vocation. Enseigner, c'est jongler avec toutes les aptitudes que requiert cette profession exigeante, y compris celle d'instaurer en classe un climat agréable. Un enseignant qui ne crée pas de relation avec ses élèves aura de la difficulté à interagir avec eux, à transmettre sa matière et, surtout, à avoir du plaisir – point important, compte tenu des longues heures passées dans cette salle ! Tous les enseignants admettront ce principe de base : tant que le lien entre le groupe et l'enseignant n'est pas tissé, tant que la relation entre l'émetteur et le récepteur n'est pas personnalisée, le message sera diffusé, certes, entendu, peut-être, mais assimilé ? Permettez-nous d'en douter.

Prenez le temps de connaître vos élèves. Questionnez-les sur leurs goûts, leurs intérêts, leurs objectifs et, pourquoi pas, sur leur rêve ! Accueillez-les avant le début de la période et saluez-les à la fin, comme vous le feriez avec des gens qui viendraient en visite chez vous. En début d'année, prévoyez des activités brise-glace et commencez vos cours par une amorce qui vous permettra de vérifier leurs connaissances sur le sujet, de piquer leur curiosité et de capter leur attention. Ces courts moments sont précieux et tissent lentement une relation agréable avec les élèves. Les apprivoiser demande du temps et un intérêt réel de votre part. N'essayez pas de feindre l'enthousiasme, ils vous démasqueraient rapidement ! Prenez le temps de les écouter, de les observer. En créant une dynamique de groupe empreinte d'ouverture et d'interactions, il vous sera plus facile de multiplier les apprentissages et de voir vos élèves se réaliser.

Faites connaissance !

Il est important de prévoir du temps pour lier connaissance avec ses élèves. Pour certains, les activités et discussions en rapport avec cet objectif peuvent sembler banales et futiles, mais elles sont aussi importantes que la transmission du programme scolaire. Le temps que vous y consacrez vous aidera justement à créer une bonne ambiance dans la classe, à connaître vos élèves et à implanter lentement votre style de gestion et votre mode de fonctionnement. Ces périodes d'échanges offrent à vos élèves la possibilité de savoir à qui ils ont affaire et de se faire une opinion à votre sujet, au lieu de se baser sur la réputation (bonne ou mauvaise) qui vous précède, ou sur les « Il a l'air de… » qui étiquette chaque enseignant dès le premier contact.

PSITT !

Ces moments utilisés à tisser des liens sont importants, mais ils ne doivent pas durer toute la période. Vous risquez alors de rater la cible et de tomber dans l'autre extrême : « Avec lui, on ne fait rien, on parle, c'est tout ! » Il faut savoir doser, prendre le temps de connaître ses élèves tout en fixant ses balises, créer un équilibre entre la rigueur et le plaisir.

Développez un sentiment d'appartenance

L'enseignant qui raconte une anecdote, à la fin de la période, réussit chaque fois à capter l'attention de son groupe, à installer une ambiance agréable qui fait que ses élèves le quittent le sourire aux lèvres ou dans un éclat de rire. Ces cinq minutes où ils sortent du cadre scolaire (tout en restant dans les zones professionnelles) permettent aux élèves de se rapprocher de l'enseignant, de le découvrir sous un autre jour. Pendant cinq minutes, des élèves et un enseignant se permettent d'échanger et d'interagir pour bâtir graduellement une relation de confiance. L'enseignement est basé sur des relations humaines : l'oublie-t-on parfois ?

Certains enseignants ont trouvé leur voie. Comme ce passionné de sport qui interroge quelques élèves, en début ou en fin de période, et qui ajoute ou enlève des devoirs à faire en fonction des réponses des candidats. Cette complicité change la dynamique de la classe ; les élèves sentent qu'ils font partie d'une équipe, que ce cours est différent des autres.

Un autre, qui enseigne les maths, fait coucher ses élèves par terre, au début du cours, et leur demande de compter le nombre de points noirs par tuile du plafond, et de multiplier ce nombre par celui des tuiles, puis…

Quant à cette enseignante d'arts plastiques, le vendredi après-midi, elle autorise ses élèves à travailler au son d'une musique de leur choix.

Un autre demande à ses élèves de s'étirer le lundi matin. Tout le monde debout, les bras dans les airs !

Une autre demande à tous ses élèves, au début de la période qui suit le dîner, de se coller au mur et de fléchir les genoux de façon à se retrouver en position assise et de tenir la pose… jusqu'à ce que chacun abandonne. Façon habile de les calmer !

Ce sont des exemples simples, banals aux yeux de certains, mais qui font que les élèves éprouvent un sentiment d'appartenance au groupe. Ces modèles illustrent des moyens de créer une routine, un rituel propre à une classe, une forme de privilège dont seuls ces élèves-là bénéficient. En quoi votre cours à vous est-il unique ?

PSITT !

Créez des moments uniques avec vos élèves, installez un rituel spécifique à ce groupe, à cette classe. Et surtout, donnez-vous le temps de les observer, de les connaître. C'est de cette façon que vous trouverez le meilleur moyen de les atteindre.

Inspirez confiance !

Pensez à quelqu'un que vous ne pouvez pas sentir, qui vous fait sortir de vos gonds et prononcer des mots que vous n'oseriez répéter devant votre mère… Imaginez cette personne assise à côté de vous, dans une voiture, dans le rôle de copilote, vous demandant d'emprunter tel chemin, telle route ou, pire encore, vous conseillant sur votre façon de conduire… Même si elle fait des efforts pour vous convaincre ou vous transmettre l'information, vous l'écouterez à moitié, vous serez distrait, vous aurez peut-être (pour ne pas dire sûrement) envie de la contredire sur le choix de l'itinéraire. Et surtout, vous n'accepterez pas ses remarques sur votre façon de tenir le volant ! Normal : comme vous n'avez pas une grande estime pour elle, vous n'accorderez que peu d'importance à ses propos.

Dans l'enseignement, le même principe s'applique – avec quelques nuances, bien entendu. Plus vos élèves vous feront confiance – ils n'auront pas peur de se tromper et ne craindront ni vos réactions ni vos commentaires –, plus ils vous écouteront et seront ouverts à vos propos et en mesure de performer.

Si vos élèves vous estiment et vous trouvent compétent, ils auront envie d'entendre et de comprendre le message que vous cherchez à transmettre. Vous serez un guide, un mentor, une personne signifiante, une référence. Ils vous suivront au bout du monde ! Mieux encore, ils voudront donner le meilleur d'eux-mêmes et auront envie de se dépasser.

Respectez-vous mutuellement

Se faire respecter est primordial, mais respecter ses élèves l'est tout autant. Dès les premiers cours, si les élèves sentent que vous les respectez, ils seront plus ouverts et enclins à agir de la même façon avec vous.

Un enseignant qui adopte une attitude condescendante et méprisante, semant la terreur et multipliant les menaces et les réprimandes, aura, certes, une classe silencieuse. Il réussira à créer un climat où l'anxiété, la peur et l'antipathie iront en croissant. Il disposera d'une autorité absolue en classe, mais les acquis seront sûrement freinés par cette tension. Les élèves retiendront peut-être quelques notions, mais ils n'auront certainement pas envie d'ouvrir de leur plein gré leur livre le soir ni d'aller en classe ! Ils cultiveront une aversion pour cet enseignant… et la matière qui lui est associée.

Un enseignant qui commence l'année avec des préjugés défavorables parce qu'on lui a déclaré que son groupe « est tellement comme ci… », que ses élèves « sont trop comme ça… » et qui se dit : « Avec moi, ils vont écouter, je ne laisserai rien passer, ils ne m'auront pas ! » se ferme déjà, au lieu d'apprendre à connaître ses élèves pour se faire sa propre opinion. Résultat : pas de plaisir pour l'enseignant, pas de plaisir pour les élèves. Tout le monde en sort perdant. Respectez vos élèves, inculquez-leur cette notion, on ne la leur a peut-être jamais apprise. Peut-être n'ont-ils jamais vécu dans un milieu qui prônait cette valeur ? Tout s'apprend, il faut de la patience, de la discipline et de la constance. Persévérez.

Croyez en vos élèves

Un enseignant respectueux de chacun, qui s'investit auprès de tous ses élèves – y compris ceux qui ont de la difficulté, surtout ceux-là d'ailleurs –, qui prend le temps de réexpliquer encore, gagnera le respect de ses élèves. Ils verront qu'il croit en eux, même s'ils ont subi des échecs, malgré un bagage différent, même si… Oui, il croit en eux.

Un enseignant qui encourage la diversité en soulignant un trait de caractère, un talent propre à chacun, qui pousse ses élèves à s'affirmer et à se démarquer en raison de cette différence gagnera leur estime. Des règles communes doivent être suivies et le fonctionnement général de la classe doit être harmonieux. Toutefois, s'il considère sa classe comme une unité complexe, constituée d'individus uniques, plutôt que comme une masse uniforme, il poussera ses élèves à développer leur potentiel et à se découvrir eux-mêmes.

Impliquez vos élèves et responsabilisez-les

Pour se motiver, vos élèves ont besoin de participer, de se réaliser et de s'impliquer. Songez aux longues réunions de personnel auxquelles vous assistez de façon ponctuelle, ou à certaines formations pendant lesquelles vous regardez des images défiler sur un écran, en écoutant un discours théorique peu applicable à votre réalité quotidienne : combien de fois regardez-vous votre montre ou laissez-vous vagabonder vos pensées ? Lorsqu'on observe les enseignants, on en voit même qui en profitent pour corriger des copies tellement ils ne se sentent pas concernés par le sujet traité. Les moments forts de ces rencontres sont ceux où l'on sollicite notre opinion, où on nous questionne, où on nous implique, où il y a un partage, n'est-ce pas ? C'est exactement la même chose pour vos élèves. Laissez tomber les monologues interminables et faites participer vos élèves. Confiez-leur des responsabilités, scindez la classe en équipes et donnez à chacune un mandat précis. Demandez-leur de trouver des exemples, d'apporter en classe un objet qui a de la valeur à leurs yeux, de partager une expérience, un souvenir ou même d'inviter un parent ou tout professionnel qui pourrait témoigner et faire des liens avec la matière vue en classe.

Profitez de leur expérience, de leur vécu. Peu importe leur âge, ils ont chacun leur bagage et peuvent enrichir la matière à leur façon. Ils peuvent apporter une couleur différente et, surtout, faire en sorte que la classe soit à leur image. Faites de l'école un milieu de vie, un lieu signifiant pour eux.

PSITT !

Impliquez vos élèves, sollicitez leurs connaissances dans votre cours. Et mettez-les en action rapidement ! La responsabilité de leur réussite (ou de leur échec) ne repose pas uniquement sur vous ou sur eux ; elle doit être répartie également.

Soyez ferme et constant

Avoir une bonne relation avec ses élèves ne signifie pas « les laisser tout faire ». À l'image d'un bon père (ou d'une bonne mère), vous devez maintenir vos règles et appliquer les conséquences. Ils vous en seront reconnaissants, peut-être pas sur le coup, mais c'est ce qu'ils attendent de vous. Des liens ne peuvent se créer dans le chaos. Vous devez donc instaurer un cadre favorable aux échanges, où chacun se sentira respecté. Une main de fer dans un gant de velours, ça vous dit quelque chose ? Même si c'est difficile pour vous, que ça vous demande des efforts considérables – parce que vous avez l'impression qu'ils ne vous « aimeront » plus ou que vous vous les mettrez à dos –, vous devez faire votre devoir d'enseignant en vous faisant respecter et respecter les autres en appliquant les règles.

Pour la plupart des enseignants, les « premières fois » constituent des moments pénibles, mais vous devez établir votre crédibilité et gagner l'estime de vos élèves. Lorsque les élèves entendent un enseignant dire pour la énième fois : « C'est la dernière fois que… » ou « Dernier avertissement ! » sans qu'aucune conséquence ne soit appliquée, ils perdent confiance en lui.

Soyez visible dans l'école !

Enlever cette cape d'invisibilité qui vous maintient dans un anonymat confortable. Promenez-vous dans les corridors, allez voir vos élèves lorsqu'ils participent à des activités parascolaires, faites partie de comités, montez des projets avec des collègues, etc. Les élèves vous voient, vous observent constamment. Ils seront témoins de votre complicité avec tel enseignant, remarqueront votre implication, constateront surtout que vous vous investissez. Croyez en eux et en votre école.

En étant visible dans l'école, vous pourrez créer des liens privilégiés avec vos élèves en les côtoyant ailleurs que dans votre classe. Même si on manque TOUJOURS de temps, ces moments sont gagnants de part et d'autre. « J'encourage les enseignants à voir leurs élèves dans un autre contexte, lorsqu'ils se réalisent et font de beaux projets. On récupère beaucoup d'élèves grâce à ces activités. Ils aiment tellement tel sport ou telle activité parascolaire que les comportements négatifs diminuent », confirme Mélanie Martel, psychoéducatrice à l'école secondaire Père-Marquette de la Commission scolaire de Montréal[1] (CSDM).

PSITT !

Personnalisez votre animation en classe en structurant vos périodes selon un thème. Par exemple, si vous êtes un sportif, empruntez le vocabulaire d'un match de hockey ou de soccer. Divisez vos périodes : commencez votre cours par la présentation des joueurs (prise des présences…), puis enchaînez avec un réchauffement (amorce, anecdote, élément déclencheur, etc.). Tous les joueurs doivent être sollicités à un moment ou à un autre. S'il y a dérapage, votre arbitrage devra être juste et cohérent. Tout au long de la

1. Au chapitre 8, lire l'entrevue intégrale avec Mélanie Martel et Marie-Josée Lemelin, respectivement psychoéducatrice et technicienne en éducation spécialisée à l'école secondaire Père-Marquette, de la CSDM.

période, encouragez vos joueurs pour les motiver. Après la partie, revenez sur les points forts et sur ceux qui doivent être corrigés. Nommez des joueurs étoiles. N'oubliez pas que chacun doit y trouver son compte et ne doit pas rester sur le banc à regarder les autres jouer. Votre cours deviendra un travail d'équipe, dirigé par un entraîneur compétent et préparé, qui a des objectifs clairs. Les joueurs doivent être conscients que s'ils enfreignent une règle, ils sont pénalisés, certes, mais ils font aussi perdre le temps de toute l'équipe. Ils ont une responsabilité, celle d'avoir un équipement avant la partie et d'être préparés selon l'événement : un entraînement (théorie et pratique) ou le match (examens ou évaluations). Un travail d'équipe exige la mobilisation de tous les joueurs, car tout le monde veut remporter la Coupe à la fin de l'année !

À vos devoirs

Des attitudes gagnantes à adopter

- Renseignez-vous auprès du technicien en loisirs de votre école ou du responsable de la vie étudiante pour connaître les activités parascolaires et autres qui figurent au calendrier scolaire. Vous pourrez ainsi prévoir des moments pour voir vos élèves en action, dans un contexte différent.
- Consultez le technicien en éducation spécialisée ou le psychoéducateur pour discuter de certains cas, recueillir des renseignements complémentaires et découvrir la meilleure façon d'entrer en relation avec ces élèves. Cette information vous aidera à mieux comprendre leur comportement et à être bien outillé pour réagir. Lorsqu'on connaît la cause d'une attitude, notre réaction est mieux adaptée.
- En cas de problème récurrent avec un élève, contactez les parents pour discuter avec eux de la meilleure façon de motiver, de stimuler

et d'encadrer leur enfant. Dans la plupart des cas, ils seront ouverts et heureux de pouvoir collaborer avec l'enseignant et de participer au développement et à la réussite scolaire de leur enfant.

- Consultez des collègues qui ont enseigné à tel élève (ou à tel groupe) afin de vous inspirer de leurs bons coups et de leurs stratégies. Vous peaufinerez ainsi votre méthode visant à instaurer un climat de classe convivial.
- Ne vous isolez pas. Si vous avez de la difficulté à créer une relation harmonieuse avec vos élèves, parlez-en. Il existe des ressources à l'école et dans votre commission scolaire (technicien en éducation spécialisée, psychoéducateur, conseiller pédagogique, direction, intervenant communautaire, collègues, etc.) pour vous aider et vous soutenir. L'important est de communiquer vos difficultés à des personnes-ressources ou à des personnes en qui vous avez confiance et, surtout, de vous donner le temps de créer une relation harmonieuse avec vos élèves.

PSITT !

Mettez en lumière vos bons coups, félicitez-vous de vos efforts et reconnaissez le travail bien fait. Personne ne plaît à tout le monde, en classe comme ailleurs. Alors gardez le sourire et concentrez-vous sur les élèves motivés lorsque les journées sont difficiles. Un enseignant positif, déterminé et confiant saura motiver sa classe et sera une source d'inspiration pour son groupe. Faitez-vous un devoir d'être un leader passionné par sa matière, qui croit en ses élèves et à leur réussite.

MA PAGE PERSONNELLE

MA PAGE PERSONNELLE

La récupération

Pour bâtir une relation harmonieuse avec vos élèves...

- Prenez le temps de créer des liens avec vos élèves en les accueillant, en les observant, en les questionnant et en les écoutant. Enseigner est un travail basé sur des relations humaines. Plus vous connaîtrez vos élèves et plus il vous sera aisé d'interagir avec eux en suscitant leur intérêt et en captant leur attention à l'aide de thèmes ou de sujets qui les toucheront.
- Commencez vos cours par une amorce, une activité brise-glace vous permettant de faire connaissance avec vos élèves ou d'avoir un aperçu de ce qu'ils connaissent et maîtrisent déjà de la matière enseignée. Prévoyez du temps dans votre planification pour des activités de connaissance de soi.
- Développez chez vos élèves un sentiment d'appartenance au groupe en créant un rituel spécifique, en partageant une anecdote, en organisant une activité spéciale, etc.
- Teintez vos cours d'humour ! Rien de mieux pour désamorcer et dédramatiser une situation, et créer un climat de travail agréable.
- N'essayez pas d'imiter vos élèves ou d'être leur ami. Soyez un leader confiant, qui sait où il s'en va. Vos élèves ont besoin de repères clairs et de modèles d'adultes compétents.
- Encouragez leurs bons coups et usez de patience avec les élèves qui ont des difficultés. Ils ont besoin de savoir que vous croyez en eux.
- Traitez vos élèves comme vous voulez qu'ils vous traitent. Le respect attire le respect.
- Soyez ferme, constant, cohérent, en respectant les règles que vous imposez. C'est ce qu'attendent les élèves de leur enseignant.
- Ayez l'humilité de reconnaître vos erreurs, le cas échéant. Vous aussi pouvez admettre que vous vous êtes trompé. Ils apprécieront votre honnêteté.

- Soyez visible dans l'école, les élèves vous verront comme un enseignant impliqué, qui s'intéresse à eux. De plus, vous tirerez profit de voir vos élèves dans un contexte différent.
- Préparez vos cours, soyez organisé et montrez que vous maîtrisez votre matière.

Du fond de la classe

par Georges Laferrière

ET LE GAGNANT EST...

Du fond de la classe... je les écoutais. Réunis en comité. Une autre journée pédagogique. Pourtant, un je-ne-sais-quoi habitait ces profs.

Madame Lamothe : petite, frêle, grise, « ancienne religieuse » sûrement.

Paul : grand, costaud, beau bonhomme, « athlète » certainement.

Louisette : grassouillette, enveloppée, lunettes épaisses, « vieille fille » évidemment.

Julie : anonyme, invisible, beige, « imperceptible » effectivement.

Youssef : petit, boutonneux, agité, un *nerd* assurément.

Lola : belle, attrayante, colorée, « objet de fantasmes » habituellement.

Toutes et tous constituaient des spécimens en leur genre. Objets de railleries, victimes de plaisanteries, caricaturés en leur absence... de la part de leurs collègues.

Plus même, du fond de la classe, là où l'on entend tout, ils étaient victimes de préjugés malsains et de tabous raciaux qui font tant de dommages dans le milieu scolaire.

Cependant, on les avait réunis pour discuter d'un dossier émanant des élèves. Une requête avait été formulée. Les élèves les avaient identifiés. Une sanction et un jugement les attendaient.

Pourtant, en apparence, ils n'avaient rien en commun. À part leur personnalité bien identifiée, affirmée et commentée. « Comme si l'habit faisait le moine ! » Le repoussoir est aussi important que l'attirance.

Pourtant, une question d'image. L'image de soi, l'image que l'on projette et l'image perçue par les autres. Il y a ce qu'on veut dire... ce qu'on dit... ce qu'on entend dire... et ce qu'on nous fait dire ! Le rapport entre ce qu'on dit et ce qu'on est.

Je les regardais en rêvant presque. La rêverie en classe mène très loin... même à la compréhension du cours.

À l'ordre du jour, un seul point : la sélection par les étudiants des profs de l'année dans diverses catégories. Ils avaient été choisis pour leur passion de l'enseignement, leur respect des élèves, leurs compétences dans leur matière, leur intérêt, leur plaisir et leur amour de l'école.

Du fond de la classe, je les écoutais avec beaucoup d'intérêt et, comme les élèves, je les admirais !

CHAPITRE 4

EXPULSER UN ÉLÈVE DE LA CLASSE

OBJECTIFS

- Apprendre à récupérer une expulsion.
- Établir une gradation dans les interventions.
- Maintenir une attitude professionnelle avec tous les élèves.
- Travailler en partenariat avec les professionnels de l'école.

En observation

LA PROMESSE

(Témoignage d'Amélie Gagné, enseignante au secondaire)

« Dehors ! Prends tes affaires et sors de ma classe ! »

Bruit de porte que l'on referme avec rage. Mains qui frappent sur les bureaux, sifflements et rires provenant des autres élèves, excités par la scène. Ces mots et ce vacarme résonnent dans ma tête.

Résumé de l'événement : une élève m'a traitée de « Pu... ». Bref, le qualificatif désignant le plus vieux métier du monde. Elle m'a aussi affublée de noms d'animaux que l'on trouve dans une ferme laitière ou porcine, précédés, bien sûr, des qualificatifs « grosse, maudite », pour en maximiser l'impact.

J'ai dû arrêter le cours, ouvrir la porte de la classe et demander à l'élève de prendre ses choses et de sortir.

Stimulée par les rires et les applaudissements de son auditoire, l'élève refusait, évidemment. Elle m'a mise au défi de la sortir moi-même parce qu'ELLE ne sortirait pas.

L'envie de la lancer par la fenêtre avec son bureau m'a traversé l'esprit. Dieu merci, pas longtemps. Finalement, l'élève s'est levée devant mon insistance et mon image d'autorité – laissez-moi rire : j'ai 22 ans, je porte des lunettes pour me vieillir et me donner une allure plus sévère... Je me suis plantée devant la porte entrouverte, affichant l'air le plus menaçant possible, me tenant bien droite pour camoufler le tremblement de mes jambes...

En se traînant les pieds et en me fixant – croyant peut-être que j'étais atteinte de surdité ou que ma mémoire était défaillante –, elle a répété ses insultes en criant.

Quelques minutes plus tard, fin de la période. Les élèves sortent dans le brouhaha, lançant leurs feuilles d'activité par terre. Cette activité, je l'avais préparée avec tant de soin, et ils marchent dessus... Ça me bouleverse. Les signes de découragement commencent à poindre. Fin de l'histoire.

La collègue à qui j'ai raconté cet événement – et que je croyais débordante d'empathie – me dit, après mon récit : « Ah bon... T'as sorti cette élève-là ? Je ne comprends pas pourquoi elle est comme ça. Moi, elle M'AIME... Je n'ai AUCUN problème avec elle. »

Ça m'a fait l'effet d'une gifle. Le rouge m'est monté aux joues et mon pouls s'est accéléré. Moi qui m'attendais à une tape sur l'épaule ou au traditionnel mais réconfortant : « Je te comprends tellement ! »

J'ai quitté la pièce en marmonnant des noms de vases sacrés et en me jurant de choisir dorénavant les personnes à qui je confierais mes états d'âme. C'était la première fois que j'expulsais un élève de la classe. Ce jour-là, je me suis fait la promesse de ne plus jamais être aussi désemparée.

PRATIQUE PRIVÉE

(Témoignage de Marie Thompson, enseignante au primaire)

On me l'a souvent dit : « Le renforcement positif, c'est la clé ! Tu vas voir, ton élève va arrêter de déranger. Responsabilise-le, implique-le, valorise-le... » J'avais appris ma leçon, j'étais prête à assommer de compliments et à inonder de gentillesses un élément perturbateur de ma classe. J'allais, coûte que coûte, lui trouver une qualité ou un point positif. J'allais faire du renforcement positif.

Fiche de l'élève

Prénom : Jonathan

Niveau : 4e année

Expulsions : 3

Lancer de chaise : 1

Suspension : 1

Patience du prof : 0

Je m'y attendais, il allait entrer dans la classe en criant, il se trémousserait sur sa chaise, attendant mon intervention, un avertissement ou tout simplement une feuille d'expulsion de classe déjà remplie – parce que souvent utilisée. Il finirait la scène en hurlant « J'ai rien faite ! » et en claquant la porte.

Pas aujourd'hui. Munie de mes lunettes roses, je ne percevais que le positif. Armée de ma puissante compagne – l'ignorance intentionnelle –, je survolais le groupe. Il était invisible... et ça fonctionnait. Je l'entendais, mais, contrairement à mon habitude, j'ai continué mon cours. Sentiment de malaise... S'était-il évanoui ? Était-il en pleine crise, à cause de mon manque d'attention à son égard ? Coup d'œil rapide : effectivement, il n'était pas dans son état normal, puisqu'il travaillait ! Le cours s'est achevé sans que la feuille d'expulsion de classe sorte de mon tiroir...

Résultats à la fin de la période : avertissement 0, étonnement 1 !

Mon visage pouvait-il afficher pareil sourire ? Je sillonnais les corridors, victorieuse, pleine de fierté. Mon joueur étoile était là, entouré de son fan-club. Je me suis approchée de lui, j'ai mis ma main sur son épaule et lui ai dit haut et fort, afin que tous entendent : « Merci Jonathan de ton bon comportement, je suis fière de toi ! » Je suis partie la tête haute, mon vilain petit canard était enfin devenu cygne !

Il a rougi, a marmonné quelque chose d'inaudible que j'ai mis sur le compte de la joie, de l'émotion, et je me suis dirigée vers la salle des enseignants, pressée de raconter mon exploit. Même si j'appréhendais nos retrouvailles, j'avais hâte de le revoir en classe. Une fois la communication établie, je pourrais enfin lui transmettre des notions !

Le lendemain, il est arrivé dans la classe plus bruyant et plus impoli que jamais. Stupéfaction et déception sont des termes bien pauvres pour décrire mon état d'esprit à cet instant ! Il a été si dérangeant que j'ai dû l'avertir à plusieurs reprises. Puis, coup de théâtre : il s'est mis à m'insulter. J'ai dû l'expulser. Il est sorti en bousculant chaises et pupitres. J'étais atterrée, mais son message était clair : « Je choisis mes pairs, pas toi. Je ne veux pas de l'étiquette d'élève modèle ! » Cet élève assumait le rôle d'élément perturbateur pour obtenir l'attention et l'admiration de ses camarades. Il ne pouvait se permettre de changer de camp. Il avait besoin de la reconnaissance de jeunes de son âge et besoin de faire partie de la gang.

J'ai compris ce jour-là que, parfois, le renforcement positif et les tapes dans le dos doivent s'administrer à l'écart des spectateurs — comme quand une mère embrasse son grand fils : jamais dans la cour d'école devant ses amis, quelle honte !

Depuis, j'utilise certes le renforcement positif, mais vous n'en saurez rien. Ces moments font désormais partie du domaine privé, entre l'élève concerné et moi, et chacun en est reconnaissant.

Résultats : leçon de vie 1, apprentissages... multiples !

La leçon de...

Expulser un élève de la classe

- « Je ne veux plus rien savoir d'eux ! »
- « S'il réintègre mon groupe, je n'enseigne plus ! »
- « Si vous ne faites rien, je me mets en maladie ! »
- « Je suis fait, c'est fini, c'est foutu. Je me suis mis tout le groupe à dos. »
- « J'en ai sorti trois d'un coup ! »
- « Je n'ai plus été capable d'enseigner après, la période a été perdue ! »
- « J'ai perdu tous mes moyens. Je n'ai plus de crédibilité, j'ai failli brailler devant eux ! »
- « J'vais prendre un scotch. Un double. »

Toutes ces phrases ont été dites peu après l'expulsion d'un élève. Cette situation peut déclencher une foule de réflexions et d'émotions allant de la frustration à la rage, en passant par la colère, le désarroi ou encore le désintérêt et la démotivation.

Qu'une situation conflictuelle surgisse comme une explosion, pendant une période, ou qu'elle résulte d'une accumulation d'événements, il nous arrive d'être désemparés et d'ignorer comment réagir. Souvent, nous réussissons à calmer la tempête et à désamorcer la bombe, mais il faut parfois retirer l'élève de la classe… sans trop de casse.

Exemple de formulaire d'expulsion de classe

École Les Adorables Heure de l'expulsion de classe : ____________

Nom de l'élève : ______________________ Groupe (ou foyer) : ______ Date : ____________

Période : __________ Enseignant : ______________________

Motif (s) ou incident (s) ayant nécessité l'expulsion de la classe de cet élève :

- ❑ L'élève refuse d'appliquer les consignes de travail.
- ❑ L'élève dérange ses camarades de classe.
- ❑ L'élève a fait preuve d'impolitesse : ❑ envers un ou des élèves.
  ❑ envers l'enseignant.
- ❑ L'élève a endommagé le matériel de la classe.
- ❑ L'élève a fait de l'intimidation : ______________________.
- ❑ L'élève est indisposé et n'est pas disposé à recevoir les apprentissages (tristesse, colère, agitation, fatigue extrême). Autre : ______________________.

Détails de l'événement : ______________________.

Interventions effectuées précédemment par l'enseignant :

- ❑ J'ai ignoré intentionnellement l'élève.
- ❑ J'ai changé l'élève de place.
- ❑ J'ai proposé des choix à l'élève.
- ❑ J'ai fait des avertissements en groupe.
- ❑ J'ai mentionné mes attentes à l'élève.
- ❑ J'ai rencontré l'élève de façon individuelle.
- ❑ J'ai mentionné ma limite à l'élève.
- ❑ Autre : ______________________.

Suivi :

- ❑ Je vais communiquer avec le parent ou tuteur.
- ❑ Je vais rencontrer l'élève :
  - ❑ **Aujourd'hui**, à la ______ période ou à ce moment de la journée : ______________.
  - ❑ **Demain**, à ce moment : ______________.

Pour cette rencontre, je désire être accompagné (e) (❑ oui ❑ non).
Le cas échéant, j'aimerais que soit présent :

- ❑ le technicien en éducation spécialisée.
- ❑ ce professionnel : ______________________.
- ❑ autre : ______________________.
- ❑ un membre de la direction : ______________________.

Je suis disponible à ces moments de la journée : ______________________.

Nous nous demandons tous, dans ces moments-là, si nous avons pris la bonne décision, si nous avons agi de la bonne façon et si nous sommes le seul à expulser des élèves dans l'école. Parfois, les « Et si… » se multiplient à mesure qu'augmente notre tension artérielle.

- Et si j'ai perdu le contrôle de ma classe ?
- Et si cet élève réintègre ma classe demain ?
- Et si j'ai perdu le lien avec lui ?
- Et si les autres se mettent de la partie ?
- Et si le climat se dégrade ?
- Et si j'ai encore ce groupe l'an prochain ?
- Et si mes collègues me jugent ?
- Et si le directeur me trouve incompétent ?

STOP ! Vous n'êtes pas le premier ni le dernier à expulser un élève. Vous avez agi pour le mieux. L'important, c'est la façon de récupérer l'incident. C'est ce qui déterminera votre niveau de compétence et justifiera votre geste. Quant à vos interrogations, elles sont tout à fait légitimes. Le doute s'installe quand on affronte l'inconnu.

En tant qu'enseignants, nous sommes préparés à transmettre la matière que nous maîtrisons, mais une classe constitue une masse vivante et complexe qui correspond rarement à celle que nous avions en tête. Nous souhaitons tous rejoindre chaque élève, faciliter sa réussite et voir chacun, à la fin de l'année, nous remercier, les larmes aux yeux, pour le bagage de connaissances qu'il a acquis grâce à nos bons soins. Peut-être réussirez-vous cet exploit. Par contre, si votre canonisation tarde et si vous traversez des moments difficiles, voici quelques pistes de solution.

Passez un message

Que vous ayez expulsé un élève à la suite d'un commentaire désobligeant ou d'un comportement inapproprié, ce qu'il faut retenir, c'est que vous avez voulu passer des messages : un message à l'élève, un message au groupe.

Par ce geste, vous avez fixé vos limites et avez été conséquent avec les règles que vous aviez établies.

N'argumentez pas

Le ping-pong, c'est intéressant dans un gymnase. Pas lors d'une joute verbale sans fin. Et encore moins lorsque celle-ci a lieu devant des spectateurs avides de matchs croustillants ! Quand vous décidez d'expulser quelqu'un, bornez-vous à lui transmettre l'information minimale et, si possible, en privé. Vous lui reparlerez à la fin de la période ou à un autre moment dans la journée. Le reste de la classe n'a pas à connaître les détails. La situation ne concerne que l'élève et vous – même si, par cette intervention, vous êtes en train de passer un message au groupe. Retournez à votre tâche rapidement et mettez les élèves en action.

Inspirez, expirez...

N'entrez pas dans des zones émotives. Il est important de conserver votre calme, même si la situation est difficile. Évitez également les commentaires désobligeants sur l'élève qui vient de sortir. Vous devez conserver une attitude professionnelle en tout temps. Vous trouverez bien un endroit où évacuer cette pression, mais ne le faites jamais en présence d'élèves. Confiance, assurance, calme et maîtrise de soi sont vos alliés.

Récupérez la situation

La tempête terminée, la trentaine de spectateurs disparus, vous avez eu le temps de prendre quelques respirations. Il est temps de récupérer la situation. Selon la procédure instaurée à votre école, l'élève expulsé de la classe est probablement au local prévu à cet effet, où il a peut-être déjà rencontré un technicien en éducation spécialisée (TES). Voici ce que vous devez faire dans un bref délai.

Rédiger, si ce n'est déjà fait, le résumé de l'événement. L'important est d'avoir la description détaillée de l'incident basée sur des faits et non sur des émotions. Il serait bénéfique, pour l'enseignant comme pour l'élève, d'y mentionner les interventions précédentes (avertissements verbaux et écrits, changement de place, rencontre après la période, etc.) afin de montrer leur progression et de pouvoir par la suite cibler des moyens efficaces de corriger le comportement.

Il est toutefois possible que vous ayez expulsé un élève sans avertissement préalable, compte tenu de la gravité de l'incident.

Mélanie Martel, psychoéducatrice à l'école secondaire Père-Marquette de la Commission scolaire de Montréal (CSDM), affirme qu'il est important de rester objectif et de ne pas agir sur un coup de tête : « L'enseignant doit éviter que l'expulsion soit effectuée en fonction de sa tolérance ou de son niveau de fatigue, par exemple.

L'expulsion doit être utilisée uniquement en fonction de la gravité du comportement du jeune[1].»

Posez-vous les questions suivantes avant d'expulser un élève :

— Est-ce que son comportement exige que je le fasse sortir de la classe ou pourrais-je appliquer d'autres conséquences (changement de place, rencontre après la période, etc.) ?

— Est-ce que mes interventions suivent une progression logique ?

— Est-ce que je suis objectif ? Agirais-je de la même façon avec un autre élève ?

Faites-vous un devoir de rester objectif et professionnel en tout temps. Même le lundi matin, même en fin de période, même après une nuit d'insomnie...

Consignez l'information

Il est donc important d'adopter une méthode pour consigner les renseignements suivants :

- le nombre de retards ;
- le nombre d'absences ;
- le nombre de devoirs non faits ;
- les interventions effectuées en classe (retenues, changement de place, rencontres individuelles) ;
- le nombre d'appels téléphoniques aux parents ;
- tout autre détail jugé utile.

Votre procédure doit être simple et rapide. Vous pouvez modifier une feuille de présence sur laquelle vous indiquerez la date et une courte description de l'événement. Les plus pressés préféreront créer leur propre légende : ils n'ont alors qu'à indiquer le code correspondant à l'événement. Cependant, plus on a de détails, plus il sera aisé d'avoir un portrait juste de la situation et de savoir comment réagir adéquatement. À vous de juger !

1. Au chapitre 8, lire l'entrevue intégrale avec Mélanie Martel et Marie-Josée Lemelin, respectivement psychoéducatrice et technicienne en éducation spécialisée à l'école secondaire Père-Marquette, de la CSDM.

« Lorsque nous recevons un élève, nous devons connaître les raisons qui ont motivé l'expulsion. Nous avons besoin de ces précisions pour ajuster l'intervention, le sujet de réflexion, s'il y a lieu », confirme Marie-Josée Lemelin, technicienne en éducation spécialisée (TES) à l'école secondaire Père-Marquette.

Rencontrez l'élève

Après une expulsion, l'enseignant a la responsabilité de rencontrer l'élève et d'effectuer un suivi. Il ne peut se référer à la direction ou à la direction adjointe en début d'intervention, à moins de faire face à une situation exceptionnelle. Il s'en remettra, dans la plupart des cas, au technicien en éducation spécialisée.

« Lorsque nous en sommes au stade d'une rencontre avec la direction, c'est que plusieurs étapes ont été franchies et d'autres moyens ont déjà été utilisés, explique Marie-Josée Lemelin. Il y a beaucoup d'élèves dans une école, il est important d'avoir recours à des moyens mis en place pour contribuer au succès de chacun. La rencontre avec l'enseignant permet de connaître ses attentes et ses exigences. »

Mélanie Martel, psychoéducatrice, ajoute : « Nous, on peut parler avec l'élève et il peut nous jurer dans notre bureau qu'il se comportera bien. Toutefois, rétablir le contact avec l'enseignant avant de réintégrer le cours est primordial. »

L'important est d'arriver à une entente et de trouver une solution. Si vous vous sentez encore trop émotif, prenez le temps de vous calmer avant de rencontrer l'élève. Pour discuter des mesures à prendre, la présence d'un professionnel (technicien en éducation spécialisée ou psychoéducateur, selon le cas) vous sera d'une aide précieuse. Son expérience saura vous guider.

Établissez une entente et appliquez la conséquence prévue

Copies, réflexions, lettre d'excuses, retenues, suspension dans les cas extrêmes : il s'agit là d'avenues possibles, qui varieront d'une école à l'autre. Le code de vie de l'école peut vous fournir quelques indices sur les conséquences reliées à un événement. Toutefois, les professionnels et vos collègues pourront vous informer du protocole instauré dans votre école. Il est essentiel que vous alliez au bout de votre intervention en appliquant la conséquence, même si l'élève a reconnu son erreur. C'est une façon de responsabiliser l'élève et, pour vous, une façon de maintenir votre crédibilité en étant cohérent et conséquent avec les règles établies.

Même si vous avez réussi à conclure une entente de façon harmonieuse, maintenez la conséquence. L'élève s'y attend, de toute manière. Cela ne risquera pas de briser votre fragile relation ; au contraire, il vous respectera davantage. Ne l'oubliez pas, vous passez un message à l'élève, mais également au groupe. Allez au bout de vos interventions.

Téléphonez aux parents pour solliciter leur collaboration

Vous avez rencontré l'élève et réussi à atténuer la tension. Vous lui apprenez que vous allez téléphoner à ses parents pour les informer de ce qui s'est passé, en leur précisant que tout est maintenant rentré dans l'ordre et que leur enfant devra assumer la conséquence qui découle de son comportement.

> « Quoi ? Pourquoi t'appelles mon père ? Il va me tuer ! S'il vous plaît... Appelez-le pas, Madame Gendron. C'est vraiment chien, ça ! Je me suis excusé en plus ! »
>
> – un élève incompris de 2e secondaire

Selon Marie-Josée Lemelin, il est important d'avertir les parents que leur enfant a été expulsé de la classe. Les parents désirent en être informés, même si la situation s'est rétablie. Cette communication aux parents permet parfois de solliciter leur aide pour régler un conflit ou corriger un comportement. L'éducation est une responsabilité collective. Elle se partage entre les parents, les enseignants et les membres de l'équipe-école.

Bien des enseignants hésitent toutefois à appeler les parents lors d'une première expulsion ou lorsque celle-ci a eu lieu en début d'année scolaire, de peur de ne pas avoir d'autres moyens d'intervention par la suite.

Voici ce qu'en pense la psychoéducatrice Mélanie Martel : « Le coup de téléphone au parent ne doit pas être considéré comme une munition. Au contraire, c'est un moyen de prévention. Si un élève n'a pas eu un beau cours, qu'il dérange les autres, les parents nous reprocheront de ne pas les en avoir informés. Surtout au premier cycle du secondaire, ce qu'on leur communique les rassure, ils veulent s'impliquer. Souvent, ils ne savent pas comment leur enfant s'adapte, comment s'effectue la transition du primaire au secondaire. »

Encore une fois, les exigences varient selon les écoles. Certaines directions exigent que les appels soient faits automatiquement après une expulsion de classe, d'autres se fient au jugement des enseignants.

Même si ces démarches sont parfois exigeantes, l'enseignant y gagne au bout du compte. Le message passe vite dans une école : Untel est rigoureux et ne lésine pas avec le suivi d'élève. Les « Fais attention, il a appelé ma mère hier » sont parfois des atouts pour vous !

Annoncez les bonnes nouvelles par téléphone

« Oui, allô ? Ah non... Pas encore... Qu'est-ce qu'il a fait cette fois-ci ? ! Pardon ? Je... Je vais lui faire le message. Merci. Merci d'avoir téléphoné. »

Les enseignants connaissent par cœur le numéro de téléphone d'un élève qui dérange régulièrement la classe ? Et si, quand il a une bonne période ou à la fin d'une bonne semaine, vous appeliez ses parents pour leur transmettre la bonne nouvelle ? Surprise et fierté garanties ! Souligner ses bons coups lors des rencontres de parents ou d'une remise de bulletin aura le même effet. L'élève habitué à se faire rabrouer changera peut-être d'attitude...

PSITT !

Ces minutes investies dans les interventions pèsent parfois, mais elles font partie de votre gestion de classe. À long terme, elles rapporteront des moments de plaisir en classe.

Comme dans une scène de film...

(Musique poignante) *Lorsqu'ils vous remercieront tous, la larme à l'œil, qu'ils crieront sans se lasser : « Pas déjà la fin de l'année ! On ne vous oubliera jamais M'sieur... », vous refermerez votre livre et effacerez le tableau en vous disant, comblé : « J'ai réussi. »*

Fin du *blockbuster*.

En attendant, menez vos interventions jusqu'au bout !

Maintenez une attitude professionnelle

Une fois que la situation s'est améliorée, que la conséquence a été appliquée et que l'élève est revenu en classe, ne soyez pas rancunier. On tourne la page. On repart sur de nouvelles bases.

Même si c'est parfois difficile de marcher sur son orgueil, garder une attitude professionnelle avec tous les élèves fait partie du travail de l'enseignant. Avoir des affinités naturelles avec certains types de personnalité est tout à fait humain. Par contre, à titre d'enseignants, nous devons être justes et équitables. Nous sommes des apprenants en classe, nous aussi : certains élèves nous apprendront des vertus comme la tolérance, la patience, l'ouverture d'esprit. Soyons réceptifs.

Prévoyez les coups !

Prévoyance et planification sont vos alliées : elles vous fourniront les outils pour intervenir de façon adéquate et vous aideront à garder votre calme si une situation problématique survient. Il n'y a rien de pire que d'être pris au dépourvu, de ne pas savoir comment réagir et de sentir monter la tension, voire la panique. Dans ces cas-là, la perte de contrôle n'est pas loin et les élèves le détectent immédiatement. Qui dit perte de contrôle et panique dit souvent manque de jugement et perte d'autorité. C'est ce qu'on veut éviter à tout prix.

Il est certain que vous ne pouvez tout prévoir, tout planifier. Comme lorsque vous planifiez un voyage, vous ne pouvez tout contrôler. Toutefois, si vous avez envisagé diverses pistes de solutions, vous vous sentirez mieux armé pour affronter des situations imprévues. Vous partirez confiant. Les professionnels de l'école sont des ressources importantes et peuvent apporter soutien et conseils tout au long de l'année. N'hésitez pas à les consulter, la collaboration équipe-école est ce qui fait la force d'un établissement scolaire.

Voici quelques pistes de solution afin de prévenir et d'éviter les comportements explosifs.

UTILISEZ LE RENFORCEMENT POSITIF

Il est facile de voir ce qui ne fonctionne pas en classe. Les attitudes et comportements négatifs se remarquent, se démarquent et s'imposent. Par contre, insister sur les comportements positifs et souligner les réussites des élèves les incitent à se dépasser tout en créant une ambiance conviviale. Qui n'aime pas être félicité pour ses bons coups ?

METTEZ EN PLACE UN SYSTÈME D'ÉMULATION

Certaines écoles mettent en place un système d'émulation par niveau. Toutefois, rien n'empêche les enseignants d'instaurer leur propre système de récompense des élèves méritants. À vous de déterminer vos critères et de les personnaliser afin que chacun y trouve son compte. Vous pouvez récompenser les élèves assidus, coopératifs, qui font des efforts, qui ont de bons résultats scolaires ou l'esprit d'équipe ou le sens de l'humour, etc.

SERVEZ-VOUS DES OUTILS MAISON

Informez-vous auprès des professionnels de votre école afin de connaître les outils mis en place, par exemple le «calmomètre» (voir le chapitre 8). Ces méthodes ont été pensées pour stimuler, encourager et inciter les élèves à réfléchir à leur comportement, leur attitude, leur façon de faire. Renseignez-vous auprès de vos collègues qui utilisent ces outils, cela vous incitera peut-être à vous en servir aussi.

FAITES-VOUS VOTRE PROPRE OPINION

Obtenir de l'information sur un ou des élèves est important pour prévoir certaines réactions et certains comportements. Vous serez ainsi mieux outillé pour agir lorsque nécessaire. Toutefois, essayez de conserver votre neutralité et d'être objectif. Souvent, les élèves se comportent différemment selon le contexte, la situation et la nature des activités. Observez, notez et donnez-vous le temps de vous faire votre propre opinion.

Soyez à l'écoute

À force de côtoyer les mêmes élèves, l'enseignant développe au fil des jours et avec l'expérience une sorte de sixième sens lui permettant de décoder ce qui ne va pas chez l'un, le conflit entre ces deux autres, et ainsi de suite. Au premier coup d'œil, il voit si la période sera calme, agitée, explosive ou géniale. Il connaît son école, son groupe, il connaît surtout ses élèves et sait comment réagir.

Cette maîtrise s'acquiert avec le temps, en étant à l'écoute des signes avant-coureurs d'un climat serein ou survolté. Soyez attentifs à ce qui se vit à l'école, et pas seulement pendant vos heures de classe. Tout événement peut être perturbateur pour vos apprenants, qu'il s'agisse d'une bagarre à l'heure du dîner, de l'annonce de mauvais résultats à la période précédente, de l'excitation précédant un spectacle ou un match sportif important ou encore de la venue d'un suppléant. (Souvenez-vous du sourire qui se dessinait sur votre visage quand vous alliez à l'école et qu'on annonçait un remplaçant… Même s'il était le meilleur, le remplaçant n'agissait pas comme l'enseignant auquel vous étiez habitué, et votre comportement était souvent… différent. Ça n'a pas changé!)

Quand un événement perturbateur a lieu, il faut souvent modifier le début du cours, prendre le temps de désamorcer la situation en demandant, par exemple, à un ou à des élèves de se calmer avant le commencement d'une activité, en laissant certains élèves parler de leur projet, en offrant 10 minutes de «travail libre» si la période se déroule bien… Toutes les méthodes sont bonnes pour avoir un cours agréable… pour tous!

Souriez !

On ne le répétera jamais assez : vous donnez le ton à votre classe. Si vous arrivez souriant, motivé et intéressé par vos élèves, tous les facteurs sont réunis pour passer une bonne période et dédramatiser les situations imprévues. Accrochez-vous à vos bons coups, vous en faites chaque jour. Cherchez un peu, vous en trouverez plus d'un !

PSITT !

Il faut parfois rivaliser d'imagination et être vif d'esprit pour désamorcer une situation. Une enseignante d'art dramatique raconte : « Je me souviens d'avoir été témoin d'une bagarre pendant l'heure du dîner. De ma classe, j'avais vu les intervenants réagir rapidement et envoyer les fautifs rencontrer la direction. Toutefois, mon attention était concentrée sur les élèves de mon groupe d'art dramatique, qui applaudissaient, criaient, s'agitaient, stimulés par cet événement peu commun. La cloche a sonné et ils sont tous montés assister à mon cours… J'appréhendais la catastrophe ! Je devais trouver rapidement une façon de désamorcer la situation, car je prévoyais que la période serait difficile tant ils étaient survoltés ! Je les entendais monter l'escalier, plus bruyants que jamais. Sans réfléchir, j'ai enfilé une perruque qui traînait dans le local et les ai accueillis, affublée de ma nouvelle coiffure afro. Hilarité générale… Je l'ai échappé belle. Ils ont ri, se sont assis à leur place et j'ai pu commencer mon cours. »

Cet exemple tout simple reflète comment l'humour permet de dédramatiser. Soyez créatifs ! Tous les moyens sont bons pour désamorcer une situation. L'important, c'est d'essayer et de trouver sa méthode.

Respectez une gradation dans vos interventions

Voici un exemple de gradation d'interventions en milieu scolaire. Chaque étape nécessite la consignation d'informations afin d'avoir un portrait de l'évolution de la situation et de prévoir les actions à venir. Ces renseignements sont des exemples servant à montrer l'investissement que représente une gestion de classe cohérente.

GRADATION DES INTERVENTIONS POSSIBLES[2]

Interventions à préconiser avant d'en arriver à l'expulsion d'un élève :

- Avertissements verbaux, en classe ou de façon individuelle.
- Avertissements écrits (dans l'agenda).
- Actions menées en classe par l'enseignant (changements de place, par exemple).

Si les étapes précédentes ont été répétées plusieurs fois sans qu'elles apportent d'amélioration du comportement de l'élève :

- Expulsion de la classe.

À la suite de cette expulsion :

- Rencontre du technicien en éducation spécialisée (TES) et de l'élève, à qui on demande de rédiger une réflexion, de faire un travail supplémentaire ou parfois d'exécuter une tâche (par exemple, nettoyer les bureaux de la classe).
- Rencontre de l'enseignant et de l'élève avec ou sans le TES.
- Appel téléphonique aux parents pour les informer de la situation et de la conséquence appliquée (par exemple, retenue du lendemain).
- Retenue le lendemain matin ou à un tout autre moment, selon le protocole instauré à l'école.

Si la situation persiste, après plusieurs expulsions de classe et la répétition des étapes précédentes :

- Rencontre de l'élève avec un membre de la direction (dans la plupart des cas, l'enseignant sera présent pour une partie ou pour la totalité de la rencontre).
- Rencontre de l'enseignant, de l'élève, des parents et souvent du TES.
- Rencontre de l'enseignant, de la direction, des parents et de l'élève (le TES est souvent présent).

---

2. Ces étapes illustrent la gradation des interventions possibles, du stade des avertissements jusqu'à la suspension d'un élève. Source : Mélanie Martel et Marie-Josée Lemelin, respectivement psychoéducatrice et technicienne en éducation spécialisée à l'école secondaire Père-Marquette de la CSDM.

Si le comportement de l'élève ne s'améliore toujours pas, malgré les rencontres énumérées précédemment, ou qu'un geste ou un comportement appelle une conséquence majeure, il pourrait y avoir:

- Suspension de l'élève (lire, dans ce chapitre, la rubrique *À vos devoirs*).

Cette suspension entraînera:

- Retour de suspension de l'élève, accompagné de ses parents.
- Réintégration en classe à certaines conditions, avec des objectifs à atteindre et un échéancier à respecter (contrat d'engagement, par exemple).
- Suivi du comportement et réajustements, si nécessaire (par l'enseignant et un professionnel, TES ou psychoéducateur).

N.B. Ces étapes étant fournies à titre d'exemples, elles ne constituent que des suggestions. L'intervention du technicien en éducation spécialisée, psychoéducateur ou autre professionnel pourrait s'intégrer aux différentes étapes, selon les cas. L'enseignant doit évidemment s'impliquer, faire le suivi de toutes les étapes et consigner les informations. Il est toutefois possible que celui-ci assiste à une partie ou à la totalité des rencontres impliquant l'élève, la direction, les parents, le technicien en éducation spécialisée ou tout autre professionnel impliqué.

À vos devoirs

Faites preuve de prévoyance

- Mieux vaut prévoir les coups. Informez-vous des procédures à suivre en cas d'expulsion : feuille à remplir, heure et emplacement des retenues, appel à l'interphone, etc. Mieux vous serez informé, mieux vous maîtriserez la situation.
- Il est essentiel d'avoir un historique de vos interventions en classe. Procurez-vous une chemise ou un cahier de suivi avec listes d'élèves qui servira à consigner l'information telle que le nombre

de retards, d'absences, de devoirs non faits, d'interventions effectuées au cours de l'année, etc.

- Sachez quel intervenant accueille les élèves expulsés de la classe et où est son local. Rencontrez-le pour connaître son mode de fonctionnement.
- Ayez les numéros de téléphone des parents ou tuteurs de vos élèves.

À savoir

Il existe deux types de suspension, les suspensions à l'interne et les suspensions externes.

SUSPENSION À L'INTERNE

Dans le cas des suspensions à l'interne, chaque école a son propre mode de fonctionnement. Pendant ces journées, l'élève doit faire des travaux scolaires afin de ne pas prendre du retard.

SUSPENSIONS EXTERNES

En ce qui concerne les suspensions externes, chaque commission scolaire a son mode de fonctionnement, précisé dans le règlement des délégations de pouvoir[3]. Par exemple, à la CSDM, le directeur d'école ou de centre peut suspendre un élève pour une période qui ne dépasse pas 5 jours de classe, sans excéder un total de 20 jours par année[4]. Toufefois, seul le supérieur immédiat[5] d'une direction d'école peut suspendre un élève plus de 5 jours[6].

Selon l'article 242 de la Loi sur l'instruction publique : « La commission scolaire peut, à la demande d'un directeur d'école, pour une cause juste et suffisante et après avoir donné à l'élève et à ses parents l'occasion d'être entendus, inscrire un élève dans une autre école ou l'expulser de ses écoles : dans ce dernier cas, elle le signale au Directeur de la protection de la jeunesse. »

SOLUTION DE RECHANGE

Plusieurs écoles bénéficient de la collaboration de partenaires à l'extérieur de l'école afin d'offrir aux élèves des mesures de rechange à la suspension. Des partenaires comme le YMCA ou des organismes communautaires peuvent accueillir des élèves dits

3. Lire l'entrevue « La commission scolaire vue de l'intérieur », chapitre 10.
4. Règlement numéro R1999-5, art.7, 8e par. concernant la délégation aux directeurs d'école et de centre de certains pouvoirs et fonctions du conseil des commissaires (CSDM).
5. Règlement numéro R1999-4, art.7, 6e par. concernant la délégation aux directeurs de regroupement de certains pouvoirs et fonctions du conseil des commissaires (CSDM).
6. Règlement numéro R1999-4, art.7, 5e par. concernant la délégation aux directeurs de regroupement de certains pouvoirs et fonctions du conseil des commissaires (CSDM).

à risque pour que ceux-ci puissent, pendant une période déterminée par l'école, travailler sur les plans académique et comportemental. Dans certaines écoles, il se peut que ce retrait soit considéré comme une mesure préventive et non comme une suspension « officielle ».

PSITT !

N'oubliez pas qu'il y a toujours des solutions et que vous pouvez profiter de l'expertise de professionnels pour vous guider (conseiller pédagogique, membre de la direction, technicien en éducation spécialisée, psychoéducateur, collègue, etc.). N'hésitez pas à les consulter. Vous faites preuve de professionnalisme en allant voir des collègues pour bénéficier de leur expérience.

MA PAGE PERSONNELLE

La récupération

Pour prévenir ou récupérer une expulsion

- Conservez une attitude professionnelle avec tous vos élèves en tout temps. Soyez objectif et n'expulsez pas un élève sur un coup de tête. Respectez la gradation des interventions (voir la page 69).
- Lorsque vous expulsez un élève de la classe, rédigez une description détaillée de l'incident basée sur des faits et non sur des émotions. Incluez les interventions précédentes. Consignez ces données et gardez-les toute l'année.
- Rencontrez rapidement l'élève que vous avez expulsé de la classe. Convenez avec lui d'une entente et appliquez une conséquence.
- Appelez les parents ou les tuteurs pour les informer de la situation et pour recueillir, le cas échéant, des suggestions et solliciter leur collaboration en vue de modifier le comportement de leur enfant.
- Lorsque l'élève réintègre la classe, recommencez sur de nouvelles bases et ne dénigrez jamais un élève devant d'autres élèves. Soyez professionnel en tout temps.
- Adoptez des comportements préventifs tels que le renforcement positif, l'utilisation d'un système d'émulation et l'humour pour dédramatiser certaines situations.
- Observez et soyez à l'écoute des signes avant-coureurs de situations explosives : vous pourrez ainsi les désamorcer avant qu'elles n'éclatent en classe.
- Consultez le technicien en éducation spécialisée, le psychoéducateur ou le conseiller pédagogique pour connaître des pistes de solutions.

par Georges Laferrière

UN CALVAIRE POUR TOUT LE MONDE !

Du fond de la classe, je voyais Maryse pleurer à l'intérieur. Totalement paniquée. Les yeux noyés dans un trop-plein d'émotion, de rage et d'impuissance.

De part et d'autre... mots, regards, gestes, attitudes, silences, observations, jugement et stress. Un match de la vie dans le monde scolaire. Lieu d'apprentissages multiples.

La difficile intervention disciplinaire dans un processus éducationnel. Pourquoi cet acte frustrant nous affecte-t-il dans notre projet créateur avec des jeunes ?

Ô honte, ô désespoir, ô drame existentiel ! La mort rapide plutôt que le déshonneur. Le silence profond plutôt que la risée de mes collègues. L'abandon du métier plutôt que l'enfer dans ce monde cruel. Tout y passe en une fraction de seconde !

Pourtant ! « Que me dit-il de lui, cet élève, quand il me parle ainsi ? » « Que lui dis-je de moi, à cet élève, en réagissant à ses propos ? » Un jeu de miroir plus qu'un dialogue. Une perception qui voyage plus rapidement que le son.

Le code, la sanction, la réprimande... Si on ignore l'application, la réglementation, le système, l'anarchie s'installera. Alors, on se sert du code. Mais après, qu'arrive-t-il ? Malaise, gêne, regret... On ne peut ignorer ces effets. Alors, on veut fuir. Mais après, qu'arrive-t-il ? Suis-je capable de comprendre pourquoi j'ai eu telle réaction ? Il y a ce rapport entre ce qu'on dit et ce qu'on est. Il faut une prise de conscience de ses réactions.

Alors, on écrit, on note, on griffonne des mots… Puis, ensuite, à se lire et à se relire, on arrive à lire en soi et à mieux comprendre la lecture que les gens peuvent faire de soi !

Et on constate que, dans la relation pédagogique comme dans la relation amoureuse, par amour on sanctionne, par amour on souffre, par amour on compatit, par amour on agit, par amour… on aime.

Du fond de la classe, je voyais Maryse et, comme les élèves… je l'aimais !

CHAPITRE 5

TRANSMETTRE SA FLAMME… SANS SE BRÛLER !

OBJECTIFS

- Maintenir un niveau de motivation élevé.
- Apprendre à se faire sa propre opinion.
- Développer des stratégies pour trouver des solutions.
- Conserver une attitude positive.

En observation

SI J'ÉTAIS TOI...

(Témoignage de Jean-François Tremblay, enseignant en anglais langue seconde)

« Allô ? Oui, bonjour ! Oui, c'est bien moi... »

Je venais de terminer mon baccalauréat en enseignement de l'anglais. J'avais, comme les autres étudiants de ma cohorte, participé à des stages au primaire et au secondaire. En fin d'année, j'avais fait de la suppléance dans une école. Expérience qui s'était plutôt bien passée, même si j'avais dû assumer l'étiquette de suppléant, lourde à porter puisque l'année scolaire tirait à sa fin. Puis, j'avais passé l'été à me demander si, au mois d'août, le téléphone sonnerait pour m'offrir le contrat tant espéré dans une école. Fin août, début septembre, rien, à part des ampoules aux doigts, à force de vérifier si mon appareil était bien branché, si le volume de la sonnerie était au maximum...

Enfin, mi-septembre, j'ai au bout du fil une secrétaire qui me propose une rencontre avec le directeur d'une école : on m'offre un poste. À moi.

« J'irai vous rencontrer avec plaisir !
Merci d'avoir téléphoné. À demain ! »

Je suis en avance au rendez-vous. J'explore les corridors, je regarde discrètement dans les classes pour voir comment ça se passe. De quoi ont l'air les élèves ? Est-ce une bonne école ? Je me suis informé, mais les commentaires sont partagés ; certains ont adoré, d'autres n'y remettraient pas les pieds : les élèves n'ont, paraît-il, AUCUN respect !

J'observe, attentif aux moindres détails : le bruit, les affiches dans les corridors, le contenu de quelques graffitis apparaissant dans la cage d'escalier : *Jenn+Steve, F... the school* et autres perles qui tapissent les murs de ciment. Pour l'instant, rien de bien différent des inscriptions qui ornent les murs et les casiers des autres écoles.

Les commentaires négatifs associés à cette école me motivent au lieu de me refroidir. Avec moi, ce sera différent. J'ai passé quatre années à imaginer mes premiers élèves, à me voir devant MON tableau, dans MA classe... Rien ne pourra m'arrêter.

La rencontre avec la direction est courtoise, mais expéditive. On m'informe que j'entre en fonction lundi. Nous sommes vendredi. J'ai en main un horaire, une clé, une carte permettant de faire des photocopies — « pas plus de 500 », m'a-t-on dit et redit — et des listes d'élèves. MES élèves. Je quitte l'école en me disant que j'ai du pain sur la planche, mais que je serai prêt lundi matin.

J'aurais apprécié qu'on me donne une journée supplémentaire pour me préparer, mais je suis prêt à accueillir mes premiers élèves. Lundi matin, j'arrive tôt pour avoir le temps de placer MA classe. Je salue mes nouveaux collègues, puis je file en classe avant que ne retentisse le son de la cloche...

Le premier cours s'est, somme toute, bien déroulé : mon anti-sudorifique a tenu le coup, ma voix, tremblante par moments, a su exprimer de l'assurance, mon activité a fonctionné. Super ! C'est parti, je suis un enseignant ! Trente-deux élèves ont quitté la classe en disant : « Au revoir, M'sieur, à mercredi ! » On a vu pire comme début, non ?

Je suis aux anges. Deuxième période de libre : j'en profite pour aller visiter la salle des enseignants, continuant de sourire, fier de mon premier cours — mon premier VRAI cours ! J'ai hâte de faire la connaissance de mes collègues. Certains sont pressés, d'autres s'en vont surveiller un corridor ou un autre endroit. Je continue à sourire jusqu'à ce que de véritables pompiers cherchent à éteindre ma flamme ou, du moins, fassent tout pour en diminuer l'intensité.

Une enseignante d'un certain âge, souriante, l'air rassurant, vient à ma rencontre pour me souhaiter la bienvenue. Ce n'est que quelques secondes plus tard, lorsqu'elle m'arrache des mains ma liste d'élèves, que je réalise que ses paroles contredisent l'image sereine qu'elle projette. Pointant du doigt chaque nom, elle commente ma liste :

« Lui ! Ah, mon Dieu ! J'ai eu son frère, l'année passée... »

« Ah ! Cet élève-là, y a rien à faire avec lui ! »

« En échec partout, l'an dernier. On se demande bien comment il a pu passer son année ! »

« Ah ! Ah ! Ah ! Bingo ! T'as les deux frères Pouliot ! Bonne chance... »

Un autre collègue s'avance, motivé par les remarques de mon interlocutrice au visage trompeur. Il décide de contribuer à l'arrosage, veillant à ce que ma flamme soit bien éteinte.

« Aïe ! Ces deux-là, mets-les au pas, sinon tu vas te faire manger la laine sul' dos... »

« Elle, ouais... Elle est pas pire, à condition qu'elle soit pas avec... Ah non ! Regarde ça, Monique ! (Tiens, tiens... Visage-Trompeur s'appelle Monique.) T'es fait mon gars, elle est là, Veronica Casabonne ! C'est un duo d'enfer, ces deux-là ! Il faut les placer à distance... »

À mesure que j'assimile leurs « recommandations », je ne sais plus si je dois continuer à sourire.

J'ai passé ma période libre à lire et à relire ma liste d'élèves, gardant en tête les commentaires de mes nouveaux collègues. Quelques minutes avant le début de la troisième période, j'avais perdu mon enthousiasme. Crispé, j'attendais ces élèves que leur réputation précédait. J'ai pris les présences sur un ton que je ne me connaissais pas, une autorité écrasante a teinté mon enseignement et j'ai affiché un air où aucun sourire n'aurait pu s'immiscer.

La période fut catastrophique pour eux, mais surtout pour moi. Je suis retourné chez moi démotivé, peu fier de mon attitude et en me jurant d'être moi-même dorénavant… et pour le reste de ma carrière.

Et si, parfois, au lieu de prévenir le pire, les mises en garde provoquaient ce qu'on veut éviter ?

Pourquoi j'enseigne ?

Est-ce que j'enseigne par amour de la matière ? Pour changer le monde… ou, du moins, le milieu scolaire ? Parce qu'enseigner, c'est *tellement* simple ! Et en plus, on a deux mois de congé !

Certains ont choisi ce métier parce qu'ils aiment un domaine et qu'ils veulent l'enseigner… sans se préoccuper de la clientèle à laquelle ils s'adresseront. Ce n'est que pendant leur stage ou en obtenant leur baccalauréat qu'ils se rendent compte qu'ils n'avaient jamais réellement songé aux élèves avec lesquels ils passeront de nombreuses heures par semaine pendant de nombreuses années.

Il est important de s'intéresser autant à ses élèves qu'à sa matière. Trop souvent, on entend des enseignants dire que leurs élèves sont faibles, paresseux, qu'ils n'obéissent pas aux consignes, n'ont pas d'autonomie ni d'initiative, etc. Ils ont peut-être raison, et les qualificatifs qu'ils emploient sont peut-être mérités, MAIS n'est-ce pas notre rôle, justement, de trouver les moyens de captiver et de stimuler des cohortes d'élèves ? Des enseignants ont parfois agi ainsi avec nous lorsque nous étions enfants, en utilisant diverses stratégies pour nous motiver ou pour nous donner un second souffle. Évidemment, nous l'avons parfois oublié, parce que, bien sûr, nous étions des élèves modèles !

Nous, enseignants, travaillons avec des individus en période d'effervescence, qui évoluent à un rythme effarant, tous les jours. Ils peuvent nous surprendre, nous faire réagir et nous en apprendre, eux aussi. Ce sont ces interactions qui font la beauté de notre métier, n'est-ce pas ?

Pourquoi est-ce que j'enseigne ? La réponse à cette question pourtant simple demande réflexion. Réflexion qui conduira inévitablement à la formation d'une conviction, et c'est cette conviction qui fera que vous vous lèverez chaque matin, année après année, motivé et motivant.

En optant pour la profession d'enseignant, vous avez choisi de transmettre de précieuses connaissances et de développer chez des centaines, voire des milliers d'apprenants des compétences et des attitudes qui leur serviront au fil des jours.

Quel type d'enseignant êtes-vous ?

Vos élèves, que retiendront-ils de vous ? Certains répondront qu'il leur importe peu que leurs élèves les aiment ou les méprisent. L'important est qu'ils apprennent quelque chose d'ici la fin de l'année ! D'autres mesureront leur compétence au degré d'affection que leur portent leurs élèves. Ces deux extrêmes ne sont pas des modèles à suivre. Ce que votre profession vous demande, c'est un juste équilibre entre les deux. Mieux vaut le répéter : cherchez l'équilibre.

Que vous le vouliez ou non, vous êtes un modèle et vous avez de l'influence sur les élèves. Votre comportement, votre attitude, vos façons d'agir et de réagir dans différentes circonstances et à diverses situations font partie du bagage que vous leur transmettez. Attention ! Il n'est pas question d'assumer tous les rôles et d'être entièrement responsable de la construction de l'identité de vos élèves, mais d'être conscient qu'en les côtoyant chaque jour, inévitablement, ils apprendront en vous observant.

Un jour, votre dynamisme, votre accueil chaleureux et votre sourire seront gravés dans la mémoire collective de cohortes entières d'élèves… parce que vous les aurez motivés, parce qu'ils vous auront fait confiance, parce qu'avec vous, ils se seront sentis compétents, ils auront eu l'impression de se dépasser à chaque période, parce que vous étiez motivé, motivant et convaincu que votre matière était la plus importante de la grille-matières et que tous les élèves, sans exception, avaient une chance de réussir.

Et vous, quel type d'enseignant êtes-vous ?

PSITT !

Prenez le temps de rédiger un journal de bord. Cet outil personnel permet de s'autoévaluer, de noter ses bons coups, ses réflexions, ses questionnements. Ces écrits permettent surtout de prendre du recul devant une situation, d'avoir une vue d'ensemble des tâches qui composent le métier d'enseignant et donnent un aperçu de sa façon de gérer toutes sortes de comportements. Adoptez-vous une attitude négative ou positive en classe ? Comment réagissez-vous aux imprévus et aux problèmes ? Comment réussissez-vous à régler un conflit ? Prenez l'habitude de noter régulièrement de l'information dans votre journal de bord. Posez-vous des questions sur votre façon de réagir, d'aborder les situations complexes et d'affronter les défis. Si les solutions se font rares et que vous abordez toutes les situations avec une attitude négative, consultez des professionnels de votre école qui vous feront découvrir une autre perspective. Peut-être avez-vous besoin de soutien ? Un pas à la fois, vous y arriverez.

Préserver sa flamme : quelques conseils

PROTÉGEZ-VOUS DES ÉTEIGNOIRS !

Tout au long de votre carrière, différents facteurs feront en sorte que votre flamme perdra de l'intensité, de la brillance. Il est donc essentiel de vous protéger contre les éteignoirs.

La salle des profs, le salon du personnel, et même un 5 à 7 de temps à autre vous permettent de fréquenter vos collègues, d'évacuer la pression en partageant vos expériences, de faire le vide et d'avoir du plaisir ! Évidemment, ces rencontres seront souvent l'occasion d'exprimer des frustrations et de raconter des anecdotes. Lorsqu'on débute dans le métier – dans n'importe lequel d'ailleurs –, des associations naturelles se créent et on suit tous les règles formelles et informelles de son milieu de travail.

Dans ces réunions, inspirez-vous des bons coups de vos collègues, tirez profit de leur expérience et dites-vous que vous apprendrez votre métier à votre rythme en faisant des essais… et sans doute des erreurs.

VIVEZ VOS EXPÉRIENCES !

Peut-être qu'une expérience ou une activité effectuée durant l'année précédente n'a pas connu le succès escompté, mais rien n'empêche de réessayer à votre manière avec vos élèves. Le contexte est différent, vos élèves… et VOUS aussi. Dans l'intention de vous protéger, on essaiera parfois de vous mettre en garde en vous racontant, par exemple, le désastre qu'a été une sortie au théâtre... Mais si un projet ou un événement vous tiennent à cœur et que vous vous sentez capable de relever le défi, ne laissez personne étouffer votre flamme. Vous avez le droit d'essayer, de proposer et d'entreprendre des activités.

Lorsque, à titre de vétéran de votre école, ce sera vous que les nouveaux enseignants interrogeront, quel rôle jouerez-vous ? Celui de combustible... ou d'arrosoir ?

SOYEZ SATISFAIT DE VOTRE TRAVAIL, ET FIER DE VOUS !

On vous dit de ne pas trop vous investir, que, de toute façon, ces élèves ne réussiront pas leur année ? Faites la sourde oreille.

Redoublez d'effort pour les captiver, ils ont droit à un enseignement de qualité et à des activités stimulantes. Vous en sortirez tous gagnants, vous autant que vos élèves. Ils ne réussiront sans doute pas tous à obtenir la note de passage, comme on vous l'a prédit. Toutefois, vous aurez la satisfaction de leur avoir donné le meilleur de vous-même. Quant à vos élèves, ils auront tous appris quelque chose, quel que soit leur résultat scolaire. Ne baissez pas les bras, ils ont tous besoin de vous.

APPRENEZ À CONNAÎTRE VOS ÉLÈVES

Renseignez-vous sur la clientèle que vous avez en classe. Mieux vous la connaîtrez et plus il sera facile d'enseigner et d'utiliser les stratégies gagnantes pour la rejoindre. Consultez les professionnels de votre milieu afin d'avoir le maximum d'informations sur vos élèves. Ils vous indiqueront aussi les diverses stratégies d'enseignement que vous pourriez utiliser.

ESSAYEZ... ENCORE UNE FOIS !

Ça s'est mal passé, aujourd'hui. Les élèves sont impolis, indisciplinés et refusent de collaborer. Vous vous sentez dépassé, vous avez l'impression de perdre le contrôle de la classe, de travailler pour rien ?

Prenez du recul et dites-vous que le prochain cours sera peut-être – sûrement – différent. Essayez de commencer le cours suivant par une amorce, une activité qui saura les surprendre et susciter leur intérêt, modifiez l'espace, déplacez les pupitres. Créez une ambiance, utilisez un support visuel ou sonore, modifiez l'éclairage. Refaites la composition des équipes, choisissez un nouveau thème, recueillez les suggestions des élèves, apportez du matériel qu'ils pourront manipuler et mettez-les en action. Invitez un conférencier en classe, jumelez le groupe à un autre pour expérimenter le *team teaching*. Changez de lieu : allez à la bibliothèque, à l'auditorium, utilisez le gymnase, la cafétéria, la cour d'école. Bref, essayez quelque chose de nouveau, pour voir, et vérifiez s'il y a une progression, si les élèves embarquent et réagissent différemment. Il existe toujours une solution. Il faut prendre du recul, se servir de son imagination et s'investir pour la trouver !

PSITT !

Pourquoi ne feriez-vous pas une activité spéciale avec vos élèves ? Planifiez un déjeuner collectif, la visite d'un lieu, une activité sportive à laquelle vous participerez aussi, organisez une sortie à l'extérieur, un dîner au parc, etc. Cela vous permettra de connaître vos élèves dans un autre cadre, sous un jour nouveau.

Songez que, loin de vous faire perdre une période d'enseignement, cet investissement aura des répercussions à long terme sur les apprentissages à venir. Associez-vous à des collègues : peut-être vivent-ils les mêmes problèmes avec ce groupe... Et surtout, ne vous laissez pas abattre. Dans l'enseignement, il y a des périodes creuses, mais n'est-ce pas justement ce qui fait que les moments heureux nous transportent si haut ?

CONTINUEZ DE CROIRE EN VOS CAPACITÉS ET, SURTOUT, DE CROIRE EN EUX !

Bon nombre d'élèves n'ont jamais vécu de succès, ils passent de l'offensive à la défensive, par crainte de vivre d'autres échecs. Ils ne sont plus stimulés parce qu'ils ne se sentent même plus concernés par les cours. Valorisez les petites progressions, soulignez les mini-succès… À l'image du Petit Prince[1] qui interroge le renard pour savoir ce que signifie le verbe « apprivoiser »… « Créer des liens », répond ce dernier.

Vous aussi, persévérez. Créez des liens. Surtout, ne baissez pas les bras, il y a sûrement une méthode qui fonctionnera !

NE SOYEZ PAS VOTRE PROPRE ÉTEIGNOIR

« Je n'en fais pas assez. J'aurais dû m'y prendre d'une autre façon. Comment se fait-il que cet élève réussisse avec d'autres enseignants,

1. *Le Petit Prince,* d'Antoine de Saint-Exupéry, chapitre XXI.

et pas avec moi ? » La liste des reproches qu'on s'adresse à soi-même peut être longue, n'est-ce pas ? En travaillant quotidiennement avec des élèves, en exerçant un métier basé sur des relations humaines, nos émotions sont inévitablement sollicitées.

Parlons franchement. Tout au long de votre carrière, des élèves vous décevront. Vous raterez parfois la cible. Vous serez parfois désemparé, démuni, frustré, dépassé, débordé et fatigué ! Vous vivrez des émotions jamais vécues auparavant. Vous découvrirez de nouvelles sensations et vous apprendrez à les maîtriser. Avec le temps, vous saurez aborder un défi à la fois. Vous vivrez des échecs, mais aussi, et surtout, de grands moments de bonheur. C'est en passant par ces étapes, parfois douloureuses, que vous saurez comment réagir, que vous développerez des habiletés, que vous devrez défendre vos valeurs, vos convictions.

La clientèle n'est pas celle à laquelle vous vous attendiez ? Vos élèves n'apprennent pas au rythme souhaité ? Votre tâche est lourde, différente de celle de l'an passé ? Vous avez changé de classe, d'école, de niveau ? Donnez-vous le temps d'observer, d'analyser et de faire vos preuves, n'exigez pas de vous l'excellence et la perfection à tout coup. Prenez le temps de connaître votre milieu et de vous adapter à la situation, à ce nouveau cadre de travail.

Mettez de côté les flagellations émotives. Et surtout, ne prenez pas le sort du monde sur vos épaules ! La pression que vous vous mettez est parfois énorme et elle risque, lorsque l'émotion vous ronge, d'amenuiser votre intérêt et de vous conduire à l'épuisement professionnel. Des facteurs extérieurs peuvent faire vaciller votre flamme… mais l'éteignoir le plus ravageur provient souvent de soi, de sa façon de ressasser les mêmes frustrations, les mêmes reproches, les autocritiques les plus sévères. L'enseignant joue un rôle important auprès de ses élèves puisqu'il les côtoie quotidiennement en mettant en place différentes situations où ils peuvent s'épanouir et se réaliser ; mais il n'est pas l'unique responsable des échecs qu'ils vivent.

PSITT !

Des situations complexes vécues avec des élèves, des parents, des collègues, des membres de la direction, etc. viendront parfois vous heurter, vous décevoir, vous blesser même. Lorsque l'émotivité prend toute la place, fait perdre le contrôle et l'entendement, il faut avoir la sagesse de prendre du recul et de consulter des professionnels. Les commissions scolaires offrent divers services d'aide au personnel. Informez-vous, ces services sont confidentiels.

NOTEZ VOS BONS COUPS !

Fixez-vous des objectifs modestes et notez vos bons coups. Ces petites victoires vous serviront de source d'inspiration et de motivation dans les périodes creuses.

ÉCHANGEZ AVEC VOS COLLÈGUES

Parlez avec des collègues inspirants, positifs, optimistes, dont vous partagez la philosophie. Lorsqu'on se sent écouté, compris, on évacue la pression. Bien sûr, il est parfois tentant de baisser les bras et de se complaire dans le malheur… Vous croiserez sur votre route ce genre de confident, toujours prêt à ajouter une touche dramatique à votre récit. Ne gaspillez pas votre énergie de cette façon, misez sur un entourage motivé et sur des actions constructives. Le positif attire le positif !

ÉVITEZ L'ISOLEMENT

Ne restez pas à l'écart. N'oubliez pas que tous les enseignants ont appris par la méthode d'essais et erreurs. Vous trouverez les ressources qui vous conviennent pour surmonter les difficultés en faisant appel aux professionnels disponibles à l'école et à la commission scolaire. Ils vous guideront et vous écouteront, au besoin.

PRENEZ DU RECUL

Lorsque vous ne riez plus avec vos élèves, que vous distribuez vos sourires au compte-gouttes, il est temps de prendre du recul. Même si penser à votre groupe vous donne des brûlures d'estomac, dites-vous que le vent peut encore tourner. Trouvez le moyen de rire, de sourire. Creusez, fouillez et trouvez au moins un point positif à ces élèves. Au fil des jours, vous en découvrirez peut-être un autre, puis un autre. Essayez d'avoir du plaisir en classe ; souvent, c'est contagieux : vous réussirez sans doute à en contaminer quelques-uns… qui passeront le virus à d'autres et, espérons-le, créeront une épidémie !

ASSISTEZ À DES ATELIERS, À DES FORMATIONS

Demandez au conseiller pédagogique la liste des ateliers, des formations et des programmes de perfectionnement offerts pendant l'année. Vous pourrez tirer profit de ces rencontres de multiples façons, en découvrant, par exemple, les dernières publications d'ouvrages pédagogiques et de manuels scolaires, des informations liées à l'intégration des technologies de l'information et de la communication (TIC) à votre pédagogie, des outils et stratégies pédagogiques… Ces rencontres vous permettront de lancer des projets, de vous inspirer des ressources disponibles et, surtout, de tisser un réseau avec des enseignants d'autres écoles ou commissions scolaires dont la clientèle ressemble à la vôtre, qui enseignent la même matière que vous, qui vivent des problématiques similaires, etc. Ces échanges sont bénéfiques, autant sur le plan professionnel que personnel. Nous sommes nombreux à vivre les mêmes choses et, comme le dit l'adage, « Seul on va plus vite, ensemble on va plus loin ! »

PSITT !

Pour assister à un atelier, à une formation ou à un programme de perfectionnement, n'oubliez pas de faire votre demande au comité local de perfectionnement (CLP) de votre école.

FAITES DES CHOIX

Au fil des ans, il est difficile de maintenir sa motivation et d'aimer son métier envers et contre tout. La tâche s'alourdit, les élèves et les programmes changent, vous devez donc changer vos façons de faire… encore (!), dans des conditions souvent extrêmes, en peu de temps ! Abordez un défi à la fois, gardez une vue d'ensemble, définissez et revoyez vos priorités. Éliminez ce qui n'est pas prioritaire et envisagez des solutions. « Peut-être qu'il n'est pas nécessaire de confectionner cette affiche pour le prochain cours… Je peux sûrement adapter ce cours de façon aussi efficace, mais plus simplement… Je pourrais demander à tel élève de m'aider. Je pourrais essayer l'activité que mon collègue a réussie l'an passé… »

Vous voulez vous faire une place, vous démarquer ? C'est tout à fait normal. Faites-le avec dynamisme, en vous gardant en forme et en étant souriant. Un enseignant impliqué dans tout, mais qui a l'air surmené, suscite de l'inquiétude au sein de son entourage. La stabilité a une grande importance pour les élèves. Prenez soin de vous, il vaut mieux entreprendre de petites choses et les réussir que de ratisser large et de rater la cible. On voit de plus en plus, à la fin de l'année scolaire, des enseignants à bout de souffle, qui reviennent en septembre encore fatigués… Prenez des moments, tout au long de l'année, pour revoir vos priorités. Afin de décrocher, établissez une scission entre votre vie à l'école et votre vie privée. De cette façon, vous ne vous laisserez pas envahir par des sentiments ravageurs. Vous faites de votre mieux, alors soyez fier de vous. Gardez un esprit positif, et la tête haute. Il existe toujours une issue, une solution.

Accordez-vous du temps pendant la journée pour aller marcher, le midi, par exemple, ou prendre quelques minutes pour boire un café dans votre classe, la porte fermée... Prenez le temps de respirer, de sourire et — encore mieux — de rire avec des collègues. Vous réussirez à planifier cet examen, à corriger toutes ces copies : il y a toujours une solution. Gravissez les marches une à la fois. Vous y arriverez, comme chaque année.

CULTIVER L'AMOUR DU MÉTIER !

Vous n'êtes plus certain de faire partie de cette catégorie de gens amoureux de leur travail ? Vous avez de sérieux doutes ? Voici des **signes indéniables que vous aimez toujours votre travail** ! Vous vous reconnaîtrez !

- Vous multipliez les sourires béats et soupirez d'aise lorsque vous effacez votre tableau, à la fin d'une bonne période.
- Vous êtes envahi par un réel sentiment de fierté lorsque votre élève de maternelle attache ses souliers lui-même ou arrive à l'heure.
- Vous ne comptez pas vos heures quand vous faites une affiche, découpez un article, préparez une activité... qui ne durera que 75 minutes.
- Dans le métro, en auto, en vélo, en marchant, vous cherchez des solutions et des stratégies pour réussir à motiver un élève. Vous allez l'avoir, coûte que coûte !
- Des membres de votre famille ou vos amis se font des sourires complices en vous écoutant raconter pour la énième fois que « Julie a réussi ses examens de fin d'année, oui, oui, celle qui avait tant de difficulté, et qui a continué malgré tout, et qui... »
- Lorsque, en début d'année, on vous remet les listes de vos groupes d'élèves et qu'il y figure des noms devenus célèbres à l'école à cause de leur impressionnante feuille de route... Vous voyez des collègues jubiler, parce qu'ils n'ont pas ces « vedettes » dans leur classe. Vous vous dites : « Je vais trouver une solution. J'aime les défis ! »
- Vous continuez de mettre sur pied des projets et vous vous renouvelez chaque année, alors que vous pourriez glisser doucement dans une zone de confort.
- Vous vous souvenez des raisons pour lesquelles vous avez choisi d'être enseignant et avez conservé ce désir, cette motivation.
- Vous vous levez chaque matin avec une crampe au visage... que l'on appelle communément le sourire.

À vos devoirs

Devoirs et responsabilités professionnelles

- Faites-vous un devoir de consulter les ressources de l'école et de la commission scolaire (conseiller pédagogique, psychologue, psychoéducateur, technicien en éducation spécialisée, délégué syndical, membre de la direction, etc.) afin de prévenir les coups, en vue de recueillir de l'information, d'avoir du soutien ou d'obtenir de l'aide pour régler des problèmes avec des élèves, des collègues, etc. Prenez le recul nécessaire pour envisager des pistes de solution ou allez chercher de l'aide si vous sentez que vous avez besoin d'un répit.
- Faites-vous un devoir de ne pas abandonner vos élèves et de ne pas baisser les bras pendant l'année. Vos élèves ont tous le droit d'obtenir un enseignement de qualité.
- Faites-vous un devoir de prendre soin de vous. Accordez-vous du temps pour faire le plein d'énergie, évacuer la pression et avoir du plaisir avec vos élèves.
- Faites-vous un devoir de maintenir une attitude professionnelle en présence de vos élèves, des parents, de vos collègues et des membres de la direction.

MA PAGE PERSONNELLE

MA PAGE PERSONNELLE

La récupération

Pour maintenir un niveau de motivation élevé...

- Ne vous laissez pas influencer négativement par les expériences antérieures. Vivez vos propres expériences, essayez, innovez, donnez le meilleur de vous-même.
- Soyez fier de vos bons coups et de vos réussites. Notez-les dans un journal de bord. Il se révélera une source d'inspiration dans les moments difficiles.
- Apprenez à connaître vos élèves dans un contexte, un environnement différent. Vous créerez peut-être un nouveau contact en les voyant sous un autre jour.
- Essayez. Encore une fois. Ne laissez pas tomber vos élèves. Il existe toujours une solution.
- Si vous vivez des difficultés, ne vous isolez pas. Parlez à des collègues, consultez des professionnels ou des personnes en qui vous avez confiance, qui ont une attitude positive et qui peuvent trouver avec vous des solutions.
- Prenez du recul afin de pouvoir envisager de nouvelles stratégies pédagogiques.
- Assistez à des ateliers, à des formations et à des programmes de perfectionnement. Ces activités vous permettront de réfléchir à votre pratique, de découvrir de nouveaux outils et des ressources disponibles. Vous pourrez également vous créer un réseau en rencontrant d'autres enseignants.
- Accordez-vous du temps pendant la journée pour vous détendre, ne serait-ce que quelques minutes. Marchez, respirez, souriez… Vous êtes un enseignant, vous laissez votre marque. Des élèves ont besoin de votre expertise. Prenez soin de chacun d'eux, mais aussi de vous !

Du fond de la classe

par Georges Laferrière

LA REMISE EN QUESTION

Du fond de la classe... les yeux fermés, j'entendais les propos venant de la salle des profs, de l'autre côté du mur. « Rien à faire ! » « Faut les sortir de l'école ! » « Plus capable de les endurer ! »

Puis, dans la classe, j'imaginais quelques élèves se moquant de leurs enseignants. Caricatures, moqueries, railleries, tout y passait !

De toute évidence, il y avait bien un mur entre les profs et les élèves !

Mais eux... Patrice, Maryse, Ève, Paul, Julie, Éric, Johanne, les nouveaux profs... se sentaient encore comme des élèves.

Dans le corridor, je les entendais ! Animés, fringants, ils parlaient de la « réforme globale ». Défonçons les murs, jetons à terre les préjugés, construisons des ponts, établissons des dialogues... Passons des slogans à l'action !

Dommage, les murs n'avaient pas d'oreilles ! Mur de béton, mur des générations, mur des intentions !

Pourtant, Monsieur 58 ans et Madame 53 ans, « dans l'temps », étaient entrés à l'école avec une autre vision. Ils avaient la passion de changer le monde, le désir de bien faire, l'espoir de réussir là où les autres avaient échoué. Que s'est-il passé ? Où sont les rêves du début ?

De l'école à l'université, de l'université à l'école, de la salle des profs à la classe, de la classe à la salle des profs. Un long parcours, plein de mots et de maux.

De la vie de l'école... à l'école de la vie ! Élève-prof-élève-prof, un mouvement perpétuel. Un parcours difficile où, sans accompagnement, on fonce dans le mur. On devrait être plus conscient du plan affectif dans l'éducation.

Alors, comme un bruit sourd, dans ma tête, tout se mêlait... dans un murmure de révélations !

À cet instant, j'écoutais avec mes yeux et je lisais le silence ! Dans la musicalité du geste et la plasticité des mots, doux mélange des formes et des sons... je m'offrais une interprétation des gens. La rêverie en classe mène très loin... Même à la compréhension du cours.

Du fond de la classe, je les entendais tous et, comme les élèves, je n'écoutais plus !

DEUXIÈME PARTIE

MOI, MON MILIEU SCOLAIRE

- LA TÂCHE DE L'ENSEIGNANT
- LES PRINCIPAUX COMITÉS, LES MEMBRES DE L'ÉQUIPE-ÉCOLE ET AUTRES RENSEIGNEMENTS UTILES
- LE RÔLE DU PSYCHOÉDUCATEUR ET DU TECHNICIEN EN ÉDUCATION SPÉCIALISÉE

CHAPITRE 6

LA TÂCHE DE L'ENSEIGNANT

OBJECTIFS

- Comprendre la tâche globale de l'enseignant.
- Intégrer la tâche globale à sa grille horaire.

En observation

CHOC CULTUREL

La scène se passe dans la salle des enseignants d'une école primaire.

PREMIER ACTE

Sylvain : Martine ! Viens voir ! J'pense que le nouveau ne va pas bien du tout.

Martine s'avance, regarde le nouveau.

Martine : J'vais dire comme toi… Penses-tu que c'est grave ?

Sylvain : J'vais aller voir si l'infirmière est là, sait-on jamais…

Martine : Attends, il dit quelque chose…

Nouvel enseignant : TNT ? CNN ? CBC ? Pas capable…

Martine : Quoi ?

Nouvel enseignant : Minutes, des minutes, il me manque des minutes…

Martine : Qu'est-ce qu'il dit ?

Sylvain : Il dit qu'il a perdu des minutes.

Martine : Il est ben bizarre, lui… En plus, il a un chronomètre accroché dans le cou ! Tu parles d'un numéro… Il fixe le vide. J'pense que c'est ça, « être dans un état catatonique ». J'ai déjà lu cette expression dans des livres, mais en voir un, c'est impressionnant.

Nouvel enseignant : 300… 1 380… 240…

Sylvain : Arrête de le fixer, tu vas aggraver son état !

Chantale fait son entrée dans la salle des enseignants.

Chantale : *My God* ! Est-ce qu'il a remplacé dans la classe de première, ou quoi ?

Martine : J'sais pas.

Chantale : Il est dans un état catatonique... total.

Sylvain : Bon, ça va faire les grands mots ! Il faut faire quelque chose !

Chantale : Regarde. Il a quelque chose dans la main.

Martine : Son horaire...

Sylvain : Ah ! Je comprends ! Il vient d'apprendre qu'il doit remplir son horaire...

En chœur : ... pour établir sa tâche globale.

Le nouveau gémit. Sylvain lui enlève l'horaire des mains et cherche son nom : Jérémie ! Ça va aller, Jérémie.

Chantale : T'en fais pas, on va t'aider. C'est simple, tu vas voir. On est tous passés par là !

Le nouveau sourit, reprend un air normal.

Martine : Ah, l'état catatonique a disparu. Dommage...

Martine fouille, prend la trousse de premiers soins et un appareil photo.

Sylvain : Qu'est-ce que tu fais ?

Martine : Je vais voir s'il y en a d'autres qui longent les murs ou qui ont mal à l'estomac. Après les avoir réanimés, je vous les emmène dans la salle des profs. On va faire une révision !

Sylvain : Donne-moi l'appareil photo.

Martine : Pourquoi ? C'est juste au cas ! Ça ferait de beaux souvenirs pour le party de fin d'année...

Sylvain : Martine, donne.

Martine : OK, OK ! (*Elle lui tend l'appareil et sort de la salle des enseignants.*) Est-ce que quelqu'un a de la difficulté à remplir son horaire ? (*On entend gémir.*) Parfait, j'arrive !

FIN DU PREMIER ACTE

La tâche de l'enseignant

« Enseigner ? Facile, comme travail ! Les enseignants entrent en classe, sortent leur manuel du maître et n'ont qu'à transmettre les connaissances à leurs élèves : tout est écrit ! C'est comme suivre une recette. De plus, avec toutes les journées pédagogiques et leurs congés, ils ont pas mal de temps libre… »

Ce genre de remarque – qu'on entend malheureusement trop souvent – fait grincer des dents tous ceux qui enseignent ou qui côtoient le milieu scolaire. Il faut avoir été responsable d'un groupe d'élèves une fois dans sa vie pour comprendre la complexité de la tâche d'un enseignant, et surtout de ses multiples aspects.

Elle est poétique l'image de l'enseignant debout devant sa classe, qui captive ses élèves par ses oraisons enflammées et passionnantes, stimulé par ses échanges et les questions d'élèves curieux et avides d'en savoir plus… À la fin du cours, il soupire de regret, referme son livre poussiéreux et regarde ses élèves sortir avec un œil paternel. Il rêvasse en attendant le groupe suivant. Très poétique, certes, mais irréaliste.

Enseigner est passionnant, interagir avec ses élèves l'est encore plus et c'est ce qui fait qu'on aime tant cette profession. Rares sont les métiers qui donnent autant d'adrénaline, de satisfaction et de moments de grâce lorsque les efforts sont enfin récompensés. Mais enseigner, c'est beaucoup plus que de parler, debout devant un tableau. Les journées sont bien remplies et le « temps libre » est rapidement comblé.

Ce chapitre vous permettra de mieux comprendre ce qu'est la tâche globale de l'enseignant, son environnement ainsi que les ressources du milieu.

La prochaine fois que quelqu'un vous dira : « Enseigner, c'est tellement simple comme travail ! », faites-lui lire ce chapitre.

Le conseiller pédagogique[1], votre premier contact

Tout au long de l'année, le conseiller pédagogique (CP) pourra vous guider et vous aider dans votre pratique. Son travail consiste principalement à soutenir les divers intervenants des établissements scolaires et des services éducatifs en ce qui à trait à la mise en œuvre, au développement et à l'évaluation des programmes d'études, à la gestion de classe et à la didactique. Voici quelques-unes de ses tâches[2] :

- Il collabore à l'implantation des programmes d'études et de formation, conseille les enseignants et la direction relativement à l'interprétation de ces programmes, conçoit et anime des ateliers et des sessions de formation sur les éléments du programme ; il participe à l'élaboration de situations d'apprentissage et soutient l'expérimentation en classe.
- Il conseille et soutient les enseignants sur une base individuelle et collective pour appuyer l'action quotidienne ; il conçoit ou sélectionne et anime les activités de formation et d'instrumentation pour des besoins d'adaptation, d'innovation et de développement pédagogique.
- Il outille les enseignants en ce qui a trait à l'évaluation des apprentissages ; il les accompagne dans la conception, l'élaboration ou l'adaptation d'outils d'évaluation.
- Il participe, avec les enseignants, à l'élaboration et à la mise en œuvre de stratégies et projets visant à aider les élèves qui présentent ou qui sont susceptibles de présenter des difficultés d'adaptation ou d'apprentissage.
- Il analyse et conseille en ce qui concerne la sélection de matériel didactique, matériel complémentaire, équipement, logiciels et progiciels pertinents ainsi que l'aménagement des locaux.
- Il conseille les intervenants scolaires sur les moyens d'intégration des technologies à l'enseignement.

Qui sont nos conseillers pédagogiques ? La plupart sont d'anciens enseignants. Ils sont de bon conseil, puisqu'ils ont déjà été responsables de groupes d'élèves, eux aussi[3].

1. Les renseignements de cette section ont été recueillis grâce à la généreuse collaboration de Benoît Graton, conseiller pédagogique à l'école secondaire Lucien-Pagé, et de Sonia Bond, conseillère pédagogique à l'école secondaire Saint-Henri, de la Commission scolaire de Montréal (CSDM).
2. Source : Comité patronal de négociation pour les commissions scolaires francophones, *Plan de classification : emplois de professionnels*, édition février 2011. www.cpn.gouv.qc.ca
3. Il est toutefois possible que les critères de sélection diffèrent d'une commission scolaire à l'autre.

Enseigner : une fonction complexe

L'information qui suit[4] donne un aperçu de l'ensemble des tâches que comporte la tâche globale de l'enseignant.

Selon les **dispositions nationales de la convention collective**[5], voici en quoi consiste la fonction générale de l'enseignant :

- Dispenser des activités d'apprentissage et de formation aux élèves et participer au développement de la vie étudiante, des activités étudiantes.
- Préparer et dispenser les cours dans les limites des programmes autorisés.
- Collaborer avec les autres enseignants et professionnels de l'école en vue de prendre les mesures appropriées pour servir les besoins individuels de l'élève.
- Organiser, superviser des activités étudiantes et y participer.
- Organiser et superviser des stages en milieu de travail, s'il y a lieu.
- Assumer les responsabilités d'encadrement auprès d'un groupe d'élèves.
- Évaluer le rendement et le progrès des élèves qui lui sont confiés et faire un rapport à la direction et aux parents selon le système en vigueur.
- Surveiller les élèves qui lui sont confiés et ceux qui sont en sa présence.
- Contrôler les retards et les absences de ses élèves, et faire un rapport à la direction selon le système en vigueur.
- Participer aux réunions qui sont en rapport avec son travail.
- S'acquitter d'autres fonctions qui peuvent normalement être attribuées à du personnel enseignant.

Portrait des différentes tâches de l'enseignant

Une semaine de travail

Elle comporte **32 heures** de travail à l'école sur 5 jours, du lundi au vendredi.

---

4. Ces renseignements ont été recueillis sur le site de la Fédération autonome de l'enseignement (www.lafae.qc.ca, Dispositions nationales de la convention collective négociées par la Centrale des syndicats du Québec [CSQ] en juin 2005 et décrétées par le gouvernement du Québec, projet de loi n° 142, en décembre 2005), le site de l'Alliance des professeures et professeurs de Montréal (www.alliancedesprofs.qc.ca) ainsi que dans la convention collective de l'Entente nationale, Fédération des syndicats de l'enseignement (www.cpn.gouv.qc.ca). Pour en savoir plus, adressez-vous au conseiller pédagogique, au délégué syndical ou aux autres personnes-ressources de votre école.
5. Source : www.lafae.qc.ca/convention/TableOfContent.aspx, 8-2.00 : Fonction générale, 8-2.01.

Ces **32 heures** se divisent comme suit :

- **27 heures** au lieu assigné par la commission scolaire ou la direction d'école ;
- **5 heures** pour l'accomplissement de **travail de nature personnelle** (TNP). Le temps requis pour les 10 rencontres collectives et pour les 3 premières rencontres avec les parents est considéré comme du TNP.

Une année scolaire

Elle comporte **200 jours** de travail (à moins d'une entente différente entre la commission scolaire et le syndicat) répartis du 1er septembre au 30 juin suivant.

LA TÂCHE GLOBALE DE L'ENSEIGNANT

La **tâche globale** de l'enseignant est composée de trois éléments :

1. la **tâche éducative** (TE) ;
2. la **tâche complémentaire** (TC) ;
3. le **travail de nature personnelle** (TNP).

La tâche globale de l'enseignant au préscolaire et au primaire
(ainsi que des titulaires, spécialistes, orthopédagogues, enseignants en dénombrement flottant, etc.)

	HORAIRE HEBDOMADAIRE	
	HEURES	MINUTES
Tâche éducative	23 h	1 380 min
Tâche complémentaire	4 h	240 min
Travail de nature personnelle	5 h	300 min
Total	**32 h**	**1 920 min**

La tâche globale de l'enseignant au secondaire

	HORAIRE DE 5 JOURS		HORAIRE DE 9 JOURS (avec périodes de 75 minutes)	
	HEURES	MINUTES	MINUTES	PÉRIODES
Tâche éducative	20 h	1 200 min	2 160 min	28,8
Tâche complémentaire	7 h	420 min	756 min	10,08
Travail de nature personnelle	5 h	300 min	540 min	7,2
Total	**32 h**		**3 456 minutes**	

1 La tâche éducative (TE)

Elle comprend :

- la présentation des cours et des leçons ;
- les activités étudiantes ;
- les activités de formation et d'éveil (au préscolaire) ;
- l'encadrement des élèves (par exemple, les retenues) ;
- les périodes de récupération ;
- les surveillances collectives (les surveillances effectuées lors de l'accueil et des déplacements des élèves ne font pas partie de la tâche éducative).

Le temps **moyen** consacré à la présentation **de cours et leçons ainsi qu'aux activités étudiantes** à l'horaire des élèves n'excède pas, pour l'ensemble des enseignants à temps plein au primaire, 20 heures et 30 minutes et, pour les enseignants à temps plein au secondaire, 17 heures et 5 minutes (24,6 périodes de 75 minutes sur un horaire de 9 jours). Au moins **50 %** de la tâche éducative doit être consacrée à la présentation de cours, de leçons et d'activités étudiantes à l'horaire des élèves.

Exemples : un enseignant du secondaire peut avoir à son horaire **24 périodes** d'enseignement de 75 minutes sur 9 jours sur un total de 28,8 périodes dédiées à la tâche éducative : **24 périodes** seront consacrées à la présentation des cours et **4,8 périodes** de 75 minutes seront destinées à l'encadrement, à la récupération, à la surveillance, etc.

Un enseignant du secondaire peut avoir à son horaire **26 périodes** d'enseignement de 75 minutes sur 9 jours sur un total de 28,8 périodes dédiées à la tâche éducative : **26 périodes** seront consacrées à la présentation des cours et **2,8 périodes** de 75 minutes seront destinées à l'encadrement, à la récupération, à la surveillance, etc.

N.B. : La moyenne du temps consacré aux cours et leçons par enseignant au secondaire à temps plein est de 24,6 périodes de 75 minutes sur un horaire de 9 jours.

La tâche éducative[6] d'un enseignant

	HORAIRE HEBDOMADAIRE	
	HEURES	MINUTES
Préscolaire et primaire	23 h	1 380 min

6. Évidemment, à moins d'ententes différentes entre la commission scolaire et le syndicat, la tâche éducative décrite ici est représentative de ce que les enseignants ont à leur horaire.

	HORAIRE DE 5 JOURS		HORAIRE DE 9 JOURS (avec périodes de 75 minutes)	
	HEURES	MINUTES	MINUTES	PÉRIODES
Secondaire	20 h	1 200 min	2 160 min	28,8

À retenir: la tâche éducative se fait toujours en présence d'élèves.

2 La tâche complémentaire (TC)

Ce temps est consacré à des activités liées à la fonction générale de l'enseignant, comme:

- les activités professionnelles pédagogiques (AP);
- les rencontres professionnelles (comités, rencontres pédagogiques de niveau, etc.);
- la préparation du matériel didactique;
- les surveillances lors de l'accueil et des déplacements;
- les rencontres pédagogiques (comités);
- l'engagement au sein du comité de participation des enseignantes et enseignants aux politiques de l'école (CPEPE) et du comité local de perfectionnement (CLP);
- les remplacements d'urgence (RU) peuvent dans certaines commissions scolaires figurer sur cette liste.

La tâche complémentaire d'un enseignant

	HORAIRE HEBDOMADAIRE	
	HEURES	MINUTES
Préscolaire et primaire	4 h	240 min

	HORAIRE DE 5 JOURS		HORAIRE DE 9 JOURS (avec périodes de 75 minutes)	
	HEURES	MINUTES	MINUTES	PÉRIODES
Secondaire	7 h	420 min	756 min	10,08

À retenir: la tâche complémentaire **ne se fait pas** en présence d'élèves.

3 Le travail de nature personnelle (TNP)

L'enseignant doit, en début d'année scolaire, informer la direction des moments qu'il a choisis pour accomplir les **5 heures hebdomadaires** dédiées au travail de nature personnelle.

Selon l'Entente nationale, c'est à l'enseignant de déterminer la nature de ce travail ainsi que les moments où il devra l'accomplir[7].

Le TNP comprend entre autres :

- 10 rencontres collectives (ex. : assemblée générale, réunions d'urgence, etc.) ;
- 3 rencontres avec les parents (bulletin) ;
- le travail de nature personnelle (toute autre tâche se rattachant à la fonction générale de l'enseignant), par exemple la planification de cours et la correction.

Le travail de nature personnelle des enseignants

	HORAIRE HEBDOMADAIRE	
	HEURES	MINUTES
Préscolaire et primaire	5 h	300 min

	HORAIRE DE 5 JOURS		HORAIRE DE 9 JOURS
	HEURES	MINUTES	MINUTES
Secondaire	5 h	300 min	540 min

Si l'enseignant souhaite combler les heures de TNP en dehors de l'horaire hebdomadaire (35 heures) ou de l'amplitude quotidienne de 8 heures, il ne peut dépasser **4 heures**. Celui-ci se fera alors **30 minutes avant ou après** les heures de classe ou pendant la période de temps consacrée au repas du midi.

PÉRIODE DE REPAS

Si les enseignants désirent faire du TNP à l'heure du midi, ils doivent toutefois consacrer **au moins 50 minutes** à leur période de repas[8]. Le TNP accompli pendant les périodes de repas ne peut excéder **2 heures par semaine.**

À retenir : 5 heures sont consacrées au TNP. L'enseignant décide du moment et de la nature de ce travail.

7. www.lafae.qc.ca/convention/TableOfContent.aspx, 8-5.00 : Semaine régulière de travail, 8-5.02
8. Seul le temps excédant ces 50 minutes peut être consacré au TNP.

Quelques exemples

Dans les pages qui suivent, vous trouverez deux exemples d'horaires illustrant la tâche éducative : le premier pour un enseignant au primaire et le second pour un enseignant au secondaire ; ces deux horaires comprennent uniquement les périodes dédiées aux cours et leçons. Vous pourrez lire également les horaires montrant la tâche globale des deux mêmes enseignants : ces grilles comprennent la tâche éducative incluant les activités autres que les cours et leçons, la tâche complémentaire et le travail de nature personnelle.

École primaire Les Petits Génies

Horaire hebdomadaire de l'enseignant (année 20XX-20XX)
Tâche éducative (cours et leçons uniquement)
NOM, PRÉNOM : XXXXX, XXXXX

	LUNDI	MARDI	MERCREDI	JEUDI	VENDREDI
de 8 h 15 à 9 h 15	Tâche éducative 60 min	Tâche éducative 60 min	Tâche éducative 60 min		Tâche éducative 60 min
de 9 h 15 à 10 h 15	Tâche éducative 60 min	Tâche éducative 60 min		Tâche éducative 30 min	Tâche éducative 60 min
de 10 h 35 à 11 h 35	Tâche éducative 60 min	Tâche éducative 60 min	Tâche éducative 60 min	Tâche éducative 60 min	Tâche éducative 60 min
de 13 h 00 à 14 h 00		Tâche éducative 60 min	Tâche éducative 60 min	Tâche éducative 60 min	Tâche éducative 60 min
de 14 h 20 à 15 h 20	Tâche éducative 60 min		Tâche éducative 60 min	Tâche éducative 60 min	Tâche éducative 60 min

Tâche globale d'un enseignant au primaire
Horaire illustrant la tâche éducative (incluant les activités autres que les cours et leçons), la tâche complémentaire et le travail de nature personnelle[9]

			LUNDI	MARDI	MERCREDI	JEUDI	VENDREDI
	de 7 h 45 à 8 h 10	TNP	25 min	25 min	25 min	25 min	25 min
Accueil et déplacements	de 8 h 10 à 8 h 15	TC	5 min	5 min	5 min	5 min	5 min
BLOC 1	de 8 h 15 à 9 h 15	TE : cours, leçons	60 min	60 min	60 min		60 min
		TE : autres					
		TC				60 min (RU)	
		TNP					
BLOC 2	de 9 h 15 à 10 h 15	TE : cours, leçons	60 min	60 min		30 min	60 min
		TE : encadrement				30 min	
		TC			60 min		
		TNP					
Récréation	de 10 h 15 à 10 h 30	TE : surveillance	15 min			15 min	
Accueil et déplacements	de 10 h 30 à 10 h 35	TC	5 min	5 min	5 min	5 min	5 min
BLOC 3	de 10 h 35 à 11 h 35	TE : cours, leçons	60 min	60 min	60 min	60 min	60 min
		TE : autres					
		TC					
		TNP					

9. Cet horaire est fictif et sert d'exemple. Il illustre les ajouts à l'horaire des cours et leçons à faire en début d'année. Pour toute information complémentaire, il est suggéré de vous adresser à votre supérieur immédiat.

Dîner	de 11 h 35 à 12 h 55	TNP	25 min	25 min	25 min	25 min	20 min
Accueil et déplacements	de 12 h 55 à 13 h 00	TC	5 min	5 min	5 min	5 min	5 min
BLOC 4	de 13 h 00 à 14 h 00	TE : cours, leçons		60 min	60 min	60 min	60 min
		TE : récupération	60 min				
		TC					
		TNP					
Récréation	de 14 h 00 à 14 h 15	TE : surveillance		15 min			15 min
Accueil et déplacements	de 14 h 15 à 14 h 20	TC	5 min	5 min	5 min	5 min	5 min
BLOC 5	de 14 h 20 à 15 h 20	TE : cours. leçons	60 min		60 min	60 min	60 min
		TE : autres					
		TC					
		TNP					
Accueil et déplacements	de 15 h 20 à 15 h 25	TC	5 min		5 min	5 min	5 min
	de 15 h 25 à 16 h 25	TNP	15 min		15 min	15 min	10 min

Légende
TC : Tâche complémentaire **TE :** Tâche éducative **TNP :** Travail de nature personnelle

Tâche globale de l'enseignant de l'école primaire Les Petits Génies
(Résumé des ajouts à l'horaire de l'enseignant du primaire cité en exemple)

Tâche éducative (cours et leçons)

Enseignement : 1 230 minutes
(20 périodes de 60 minutes + 1 période de 30 minutes)

Sous-total : 1 230 minutes

Tâche éducative (activités autres que les cours et leçons)

Récupération : 60 minutes

Encadrement : 30 minutes

Surveillances : 60 minutes (4 x 15 minutes)

Sous-total : 150 minutes

TOTAL TE : 1 380 minutes

Tâche complémentaire

Accueil et déplacement : 120 minutes

Remplacement d'urgence (RU) : 60 minutes

Comité : 60 minutes

TOTAL : 240 minutes

Travail de nature personnelle

TOTAL : 300 minutes

TOTAL GÉNÉRAL DE LA TÂCHE GLOBALE HEBDOMADAIRE
(tâche éducative + tâche complémentaire + travail de nature personnelle) = **1 920 minutes**

Signature : ____________________ **Signature :** ____________________

Direction d'école **Enseignant**

Date : ____________________

École secondaire Les Adorables

Horaire de l'enseignant (année 20XX-20XX)
Tâche éducative (cours et leçons uniquement)
NOM, PRÉNOM : XXXXX, XXXXX

J/P J = JOUR P = PÉRIODE	PÉRIODE 1 DE 8 H 30 À 9 H 45	PÉRIODE 2 DE 10 H 00 À 11 H 15	PÉRIODE 3 DE 12 H 30 À 13 H 45	PÉRIODE 4 DE 13 H 55 À 15 H 10
1	Français 132506-01 2210 132 = n° de la discipline 5 = niveau scolaire 06 = nombre d'unités 01 = n° du groupe 2210 = n° du local		Français 132406-01 3416	
2	Français 132506-01 2210		Français 132406-02 3416	Français 132406-01 3416
3	Français 132506-02 2210	Français 132506-01 2210	Français 132406-02 3416	Français 132406-01 3416
4		Français 132506-02 2210		Français 132406-02 3416
5		Français 132506-02 2210	Français 132506-01 2210	
6	Français 132406-01 3416		Français 132506-01 2210	
7	Français 132406-02 3416	Français 132406-01 3416	Français 132506-02 2210	Français 132506-01 2210
8	Français 132406-02 3416	Français 132406-01 3416		Français 132506-02 2210
9		Français 132406-02 3416		Français 132506-02 2210

Tâche globale d'un enseignant au secondaire
Horaire illustrant la tâche éducative (incluant les activités autres que les cours et leçons), la tâche complémentaire et le travail de nature personnelle[10]

DE 7 H 25 À 8 H 25	J/P	DE 8 H 30 À 9 H 45	DE 9 H 45 À 10 H 00	DE 10 H 00 À 11 H 15	DE 11 H 20 À 12 H 25	DE 12 H 30 À 13 H 45	DE 13 H 45 À 13 H 55	DE 13 H 55 À 15 H 10	DE 15 H 10 À 16 H 00
		Période 1	**Récréation**	**Période 2**	**Dîner**	**Période 3**	**Récréation**	**Période 4**	
Retenue, de 7 h 25 à 8 h 25 60 min	1	Français 132506-01 2210	Surveillance 10 min	AP 75 min	TNP 15 min	Français 132406-01 3416		AP 66 min, de 13 h 55 à 15 h 01	
TNP 45 min	2	Français 132506-01 2210	Surveillance 10 min	AP 75 min	TNP 15 min	Français 132406-02 3416		Français 132406-01 3416	Surveillance 15 min
TNP 45 min	3	Français 132506-02 2210		Français 132506-01 2210	TNP 15 min	Français 132406-02 3416		Français 132406-01 3416	TNP 40 min, de 15 h 15 à 15 h 55
	4	AP 75 min		Français 132506-02 2210	Gymnase 65 min, de 11 h 20 à 12 h 25	Dîner, de 12 h 25 à 13 h 15 TNP 30 min		Français 132406-02 3416	Récupération 45 min, de 15 h 15 à 16 h 00
TNP 30 min	5	RU 75 min		Français 132506-02 2210	TNP 15 min	Français 132506-01 2210			
Retenue, de 7 h 25 à 8 h 25 60 min	6	Français 132406-01 3416	Surveillance 10 min	AP 75 min	TNP 15 min	Français 132506-01 2210			
TNP. 35 min	7	Français 132406-02 3416		Français 132406-01 3416	TNP 15 min	Français 132506-02 2210		Français 132506-01 2210	Surveillance 15 min
TNP 45 min	8	Français 132406-02 3416		Français 132406-01 3416	TNP 15 min	TNP 75 min		Français 132506-02 2210	Surveillance 15 min
	9	RU 75 min	Surveillance 10 min	Français 132406-02 3416	TNP 15 min	TNP 75 min		Français 132506-02 2210	Récupération 45 min, de 15 h 15 à 16 h 00

Légende
AP: Activité professionnelle **RU:** Remplacement d'urgence **TNP:** Travail de nature personnelle

10. Cet horaire est fictif et sert d'exemple. Il illustre les ajouts à l'horaire des cours et leçons à faire en début d'année. Pour toute information complémentaire, il est suggéré de vous adresser à votre supérieur immédiat.

Tâche globale de l'enseignant de l'école secondaire Les Adorables
(Résumé des ajouts à l'horaire de l'enseignant au secondaire cité en exemple)

Tâche éducative (cours et leçons)

Enseignement : 1 800 minutes (24 périodes de 75 minutes)

Sous-total : 1 800 minutes

Tâche éducative (activités autres que les cours et leçons)

Retenues : 120 minutes

Surveillance : 85 minutes

Surveillance gymnase : 65 minutes

Récupération : 90 minutes

Sous-total : 360 minutes (4,8 périodes de 75 minutes)

TOTAL TE : 2 160 minutes

Tâche complémentaire

Accueil et déplacement (5 minutes avant et après la période) : 240 minutes (24 périodes x 10 minutes par période)

Activités professionnelles (AP) : 366 minutes

Remplacement d'urgence (RU) : 150 minutes

TOTAL : 756 minutes

Travail de nature personnelle

Total : 540 minutes

TOTAL GÉNÉRAL DE LA TÂCHE GLOBALE (tâche éducative + tâche complémentaire + travail de nature personnelle) = **3 456 minutes**

Signature : ______________ **Signature :** ______________

Direction d'école **Enseignant**

Date : ______________

Conservez précieusement votre grille horaire ainsi que les documents qui lui sont associés (description de votre tâche globale) afin de pouvoir y apporter des modifications pendant l'année et vous y reporter à la rentrée scolaire, l'année suivante.

À vos devoirs

Vos ressources à l'école

Certains collègues, ainsi que votre supérieur immédiat, sont des personnes clés, capables de vous guider lorsque vous devrez inscrire dans votre grille horaire les moments dédiés à la tâche éducative, à la tâche complémentaire et au travail de nature personnelle.

Le délégué syndical, un allié. La personne désignée pour assurer le rôle de délégué syndical à l'école peut vous guider et répondre à vos questions concernant la tâche globale. « Lorsque j'étais délégué syndical dans les écoles, je proposais souvent aux nouveaux enseignants de les aider à établir leur horaire », confirme Benoît Graton, conseiller pédagogique à l'école secondaire Lucien-Pagé de la CSDM. En cas de doute, n'hésitez pas à consulter le vôtre !

Des outils à consulter : la convention collective locale et la convention collective de l'Entente nationale, Fédération des syndicats de l'enseignement. Ce sont vos outils de référence, vos guides pour l'année scolaire. Pour obtenir une copie de votre convention collective, adressez-vous à votre direction ou encore au syndicat. Vous pouvez consulter la convention collective de l'Entente nationale à l'adresse suivante : www.cpn.gouv.qc.ca (chapitre 8-0.00 Tâche de l'enseignante ou l'enseignant et son aménagement).

MA PAGE PERSONNELLE

MA PAGE PERSONNELLE

La récupération

La tâche globale de l'enseignant : ce qu'il faut retenir

- **La tâche globale de l'enseignant comporte** la tâche éducative, la tâche complémentaire et le travail de nature personnelle.
- **Au préscolaire et au primaire**, la tâche globale de l'enseignant est partout la même et totalise **32 heures par semaine** ; **23 heures** sont consacrées à la tâche éducative.
- **Au secondaire**, la tâche globale de l'enseignant est partout la même et totalise **32 heures par semaine, soit 3 456 minutes** sur un horaire de **9 jours** ; 20 heures par semaine (28,8 périodes de 75 minutes sur un horaire de 9 jours) sont consacrées à la tâche éducative.
- La tâche éducative se fait **toujours** en présence d'élèves.
- La tâche complémentaire **ne se fait pas** en présence d'élèves.
- Cinq heures sont consacrées au travail de nature personnelle. L'enseignant décide du moment et de la nature de ce travail, en accord avec la direction. La tâche globale de l'enseignant totalise **32 heures par semaine** il doit donc l'indiquer à son horaire de travail. Ces 32 heures se situent dans la semaine normale de travail, qui compte 35 heures **excluant** le temps pour les repas, les 10 rencontres collectives et les 3 premières rencontres avec les parents.
- L'horaire de 35 heures est établi selon une amplitude quotidienne de 8 heures. Ces 8 heures **ne comprennent pas** la période des repas, les 10 rencontres collectives ni les 3 premières rencontres avec les parents.
- La tâche de l'enseignant doit être remise à une date précise (au plus tard le 15 octobre) sous forme de grille horaire et sera signée par l'enseignant et la direction.

Du fond de la classe

par Georges Laferrière

LA TÂCHE, L'HORAIRE, LES COMITÉS...

Du fond de la classe, il les voyait par intermittence. Les nouveaux profs. Dans l'embrasure de la porte, ils défilaient, allaient, venaient, hésitaient... cherchant de l'aide. Mais où ?

S.O.S. ! À l'aide ! Au secours ! De grands cris étouffés et retenus, sans voix pour les porter au loin ! Perdus dans les couloirs de l'école... et dans le dédale de l'appareil administratif scolaire.

Seuls, sans point de repère, la formation universitaire étant défaillante sur ce point de gestion tellement important. Faudrait revoir la programmation et la formation des formateurs déconnectés des réalités scolaires.

Oups ! Ce cri, il l'a entendu souvent... Trop souvent, malheureusement, entre deux va-et-vient.

Ils allaient et venaient, inlassablement. Silencieusement, avec un faux sourire, entre deux salutations de routine aux élèves qu'ils croisaient.

Fiers... imbus... et dépourvus à la fois ! Les nouveaux venus observaient, attendaient et scrutaient avec une fausse désinvolture mal dissimulée leurs collègues, leurs comparses, leurs camarades syndiqués... comme des alliés potentiels. Mais ils hésitaient. Trop fiers !

L'occasion ratée l'est-elle vraiment ? Il faut savoir tirer du positif du négatif. L'impuissance à dire permet de dire beaucoup de choses !

« Je ne sais pas comment dire... », « Dis comment tu n'es pas capable de... ». Boal, figure majeure du théâtre brésilien, appelait ça « avoir des flics dans la tête ». C'est-à-dire les contraintes que l'on se donne.

La question sans réponse provoque un type d'apprentissage qu'il n'est pas nécessaire de vérifier. Le contenu nous échappe, mais il y a une réponse tout de même.

« La peur de trébucher cramponne notre esprit à la rampe de la logique. »

Gide

La technique à acquérir se heurte souvent à l'expression de l'individu… et vice-versa. L'expression se heurte souvent à la technique de l'individu.

Parfois, il suffit de presque rien. S'arrêter et oser… Pousser une porte, se présenter en toute simplicité. Les réponses attendent les questions. Bienvenue aux nouveaux !

Du fond de la classe, dans l'embrasure de la porte, il les voyait et, comme les élèves, il les attendait !

CHAPITRE 7

LES PRINCIPAUX COMITÉS, LES MEMBRES DE L'ÉQUIPE-ÉCOLE ET AUTRES RENSEIGNEMENTS UTILES

OBJECTIFS

- Découvrir les principaux comités en place à l'école.
- Utiliser le code de vie comme outil de gestion de classe.
- Se familiariser avec le projet éducatif, le plan de réussite et le plan stratégique de son école.
- Connaître les membres de l'équipe-école.

En observation

CHOISIR SA TRIBUNE

La scène se passe dans la salle des enseignants d'une école secondaire.

DEUXIÈME ACTE

Caroline : Ce prof-là ? Il est tout le temps en formation ou parti en colloque quelque part.

Mathieu : C'est normal, sa sœur connaît bien le directeur...

Jean-François : Ils ont déjà enseigné ensemble, je pense.

Caroline : C'est pour ça. Il a tout ce qu'il veut !

Mathieu : Mets-en ! Pis nous autres, on se tape tous les RU[1], toutes les surveillances, pendant que lui va se faire expliquer le développement des compétences dans un bel hôtel !

Isabelle : Je peux m'asseoir ?

Jean-François *(murmurant)* : Ah non, pas elle ! Elle va encore nous casser les oreilles avec sa matière à option...

Isabelle : Moi, je ne comprends pas. Je me défonce depuis deux ans pour que ma matière ne soit plus optionnelle, mais personne ne m'écoute ! C'est sûr que si c'était Stéphanie, ça passerait, parce qu'elle a réussi à faire ajouter des périodes en français... Mais non, moi, j'ai encore trois matières en complément de tâche...

En chœur : ... parce que tout le monde se fout des spécialistes !

Carl arrive en furie et dépose son plateau de dîner avec fracas.

Carl : Annulée ! Ma sortie a été annulée ! Ça fait un mois que je me démène au téléphone pour organiser une sortie avec

1. RU = remplacements d'urgence.

mes élèves ! Ils nous disent de créer des liens, d'innover, d'être créatifs, et ils viennent de me l'annuler !

Mathieu : C'est pas vendredi, ta sortie ?

Caroline : En même temps que les examens ?

Carl la fusille du regard.

Caroline : OK, je ne dis plus rien !

Carl : Injuste. Vraiment injuste. Comment on réussit à se faire entendre ici ? Il faut connaître la femme, la sœur, l'amie du directeur ? Cette école-là, je suis pus capable...

Sylvain le regarde, sourit.

Carl : Qu'est-ce que t'as à sourire, toi ?

Isabelle : Je te comprends, moi, c'est pareil ! Ça fait deux ans que j'essaie d'expliquer que ma matière...

On lui fait signe de se taire.

Isabelle : OK, OK !

Sylvain : Je vous comprends.

Carl : Il nous comprend ? Eh bien, merci, MONSIEUR Chicoine, mais ce n'est pas la compréhension qui m'aidera à arriver à quelque chose. Pis si t'avais à annoncer à tes 32 élèves dans exactement 45 minutes que leur sortie est annulée, tu ne sourirais pas !

Sylvain se lève et écrit au tableau en grosses lettres « CPEPE – CLP – CÉ »

Isabelle : C'est quoi, ça ?

Sylvain *(s'adressant à Isabelle)* : Toi, si tu embarquais dans ce comité-là, tu pourrais faire valoir tes idées et expliquer ton point de vue à des oreilles attentives et aux bonnes instances et, peut-être, apporter un changement au lieu de dépenser ton énergie dans les corridors, la salle des profs et partout où tu peux répandre ta frustration.

(se tournant vers Mathieu) Toi, si tu soumettais tes demandes de formation et de perfectionnement à ce comité-là, tu pourrais assister à des formations toi aussi, au lieu de jalouser ton collègue et de chercher des causes de favoritisme.

(s'adressant à Carl) Toi, si tu avais soumis à ce comité-là ta demande d'autorisation de faire une sortie avec tes élèves, tu serais en train de préparer du matériel pour ton remplaçant au lieu de chercher une façon d'annoncer que tout est annulé.

On cherche des membres. Il y a une réunion à 15 h 30.
Des intéressés ?

Tous lèvent la main timidement.

Bon appétit tout le monde.

Isabelle : Mais pour ma matière…

Tous *(soupir d'exaspération)* : Aaaaaaaaaaaaaaaaaaaaahhhh !

Isabelle : C'est dans quel local, la rencontre ?

FIN DU DEUXIÈME ACTE

Les principaux comités à l'école

« Je n'ai pas le temps ! Je suis débordée, je n'arrête pas de courir ! Penses-tu vraiment que je vais rester pour des réunions après les heures de classe ? » Ce genre de réflexion est tout à fait légitime. Les journées sont longues, l'information à assimiler (et à transmettre !) est abondante. On court. Toujours. Tous les jours.

Toutefois, les comités mis en place à l'école sont indispensables et méritent qu'on s'y attarde – mieux, qu'on s'y implique. Faire partie d'un de ces comités permet non seulement de connaître son milieu de travail, mais aussi d'y exercer son influence. Des décisions, des projets nous surprennent, nous laissent perplexes, nous désolent parfois ?

2. Les renseignements suivants ont été puisés dans la Loi sur l'instruction publique (LIP) ainsi que sur le site de l'Alliance des professeures et professeurs de Montréal.

S'impliquer en faisant partie du conseil d'établissement, par exemple, ou de l'organisme de participation des enseignantes et enseignants est une façon de prendre position, d'avoir de l'influence et de faire valoir ses idées. « Il me semble que ce projet serait gagnant à l'école. Je suis convaincu que cette façon de fonctionner serait efficace si… » Ces idées géniales – qui se perdent malheureusement dans l'écho des discussions de corridor – gagneraient à être entendues et soumises au bon endroit, au bon moment.

Qu'il soit question de la grille-matières, du protocole et des règles à suivre, du code de vie, du projet éducatif, des services offerts aux élèves, des activités et des projets spéciaux, tout ce qui donne de la couleur à votre école résulte des discussions et des sujets soumis aux comités.

Le chapitre suivant explique la nature et les fonctions de quelques comités de votre école. À vous de les découvrir et, peut-être, de vous y joindre.

PSITT !

Vous avez des objectifs professionnels à long terme, comme devenir conseiller pédagogique, directeur adjoint, directeur ? Votre implication dans des comités vous permettra de connaître le fonctionnement de l'école. Pensez-y, ces apprentissages s'ajoutent a votre bagage…

Le conseil d'établissement[3] (CÉ)

Dans chaque école est institué un conseil d'établissement qui comprend au plus 20 membres, dont la composition peut ressembler à ceci :

1° au moins **quatre parents** d'élèves fréquentant l'école et qui ne sont pas membres du personnel de l'école, élus par leurs pairs ;

2° au moins **quatre membres du personnel** de l'école, dont au moins **deux enseignants** et, si les personnes concernées en décident ainsi, au moins **un membre du personnel professionnel non enseignant** et au moins **un membre du personnel de soutien**, élus par leurs pairs ;

3° dans le cas d'une école qui dispense **l'enseignement secondaire du second cycle** (3e, 4e et 5e secondaire), **deux élèves** de ce cycle élus par les élèves de l'école inscrits au secondaire ou, selon le cas, nommés par le comité des élèves ou l'association qui les représente ;

3. Loi sur l'instruction publique, Section II, Conseil d'établissement, article 42.

4° dans le cas d'une école où des **services de garde** sont organisés pour les élèves de l'éducation préscolaire et de l'enseignement primaire, **un membre du personnel** affecté à ces services, élu par ses pairs;

5° **deux représentants de la communauté** et qui ne sont pas membres du personnel de l'école, nommés par les membres visés aux paragraphes 1° à 4°.

Les représentants de la communauté n'ont pas le droit de vote au conseil d'établissement.

Voici **des exemples** de fonctions et de pouvoirs généraux attribués au CÉ:

- Analyser la situation de l'école (les besoins des élèves, les enjeux liés à la réussite, etc.).
- Adopter le projet éducatif et approuver le plan de réussite et son actualisation proposés par le directeur de l'école.
- Adopter le budget annuel et le soumettre à l'approbation de la commission scolaire.
- Approuver les règles de conduite et les mesures de sécurité proposées par le directeur de l'école.
- Donner son avis à la commission scolaire, entre autres, sur les questions propres à faciliter la bonne marche de l'école et tout sujet susceptible d'assurer une meilleure organisation des services dispensés par la commission scolaire.
- Informer annuellement les parents ainsi que la communauté que dessert l'école des services qu'elle offre et rendre compte de leur qualité.
- Rendre publics le projet éducatif et le plan de réussite, et rendre compte annuellement de l'évaluation de son actualisation.
- Approuver le temps alloué à chaque matière (obligatoire ou à option) proposé par le directeur en s'assurant de l'atteinte des objectifs obligatoires et de l'acquisition des contenus obligatoires prévus dans les programmes d'études établis par le ministre et du respect des règles sur la sanction prévue au régime pédagogique.

«Le conseil d'établissement, explique Benoît Graton, conseiller pédagogique à l'école Lucien-Pagé de la CSDM, c'est un peu comme un conseil d'administration présidé par un parent et non pas par le directeur d'école. Ce dernier participe aux séances, mais il n'a pas le droit de vote. Les dossiers du CÉ concerneront, par exemple, la grille-matières d'une école, la maquette des cours, les services offerts par l'école, etc. Les membres du CÉ n'ont pas qu'un rôle consultatif; ils peuvent aussi prendre part aux décisions. Dans la plupart des cas, les enseignants et la direction élaboreront en partenariat les propositions présentées. »

À noter: les décisions rendues par le CÉ sont consécutives au vote de ses membres et doivent évidemment être prises dans l'intérêt des élèves.

Le comité de participation des enseignantes et enseignants aux politiques de l'école[4] (CPEPE)

Dans la plupart des commissions scolaires, on a mis sur pied, dans les écoles qui le désirent, **un comité de participation des enseignantes et enseignants aux politiques de l'école, le CPEPE**.

Ce comité, formé d'enseignants élus et de représentants de la direction, permet de représenter l'ensemble des enseignantes et enseignants d'une école. Il a comme mandat principal de participer à la prise de décision ou d'influencer les décisions de la direction concernant les activités éducatives et la vie pédagogique et disciplinaire de l'établissement[5].

Voici **quelques exemples** de sujets de consultation soumis au CPEPE[6]:

- le système de contrôle des retards et des absences des élèves;
- l'utilisation des technologies de l'information et de la communication (TIC) dans la tâche d'enseignement;
- l'implantation de nouvelles méthodes pédagogiques;
- le choix des manuels et du matériel didactique requis pour l'enseignement des programmes d'études.

« Au CPEPE, on s'efforce de donner une image juste de l'équipe-école en ayant des représentants de chaque discipline, de chaque domaine, souligne Benoît Graton. Dès qu'il y a un changement dans la grille-matières, ou s'il y a des décisions qui touchent l'organisation scolaire, il faut les présenter au CPEPE. Pour un nouvel enseignant, faire partie du CPEPE serait une bonne façon de connaître le fonctionnement de son école et de s'impliquer concrètement. »

À noter: en l'absence d'un CPEPE, c'est la direction qui prend les décisions.

4. Le nom de ce comité peut être différent d'une commission scolaire à une autre , il peut s'appeler, par exemple, CPE.
5. www.alliancedesprofs.qc.ca, fiches syndicales-CPEPE (mode d'emploi).
6. www.alliancedesprofs.qc.ca, fiches syndicales-CPEPE (mode d'emploi), entente nationale, chapitre 8-1.02, 8-1.03, 8-1.04, 8-1.06.

Le comité local de perfectionnement (CLP)

Vous désirez assister à une formation ou à un programme de perfectionnement ? Vous devez alors faire une demande au **comité local de perfectionnement, le CLP**. Ce comité est composé **d'un membre de la direction** et **de deux enseignants élus**.

MANDAT DU CLP

Le CLP a pour mandat d'analyser et de convenir des besoins prioritaires de perfectionnement. Il s'occupe également de ventiler le budget attribué au perfectionnement des enseignants en appliquant les normes établies à l'école. « Chaque école doit déterminer les normes et modalités du CLP, explique la conseillère pédagogique Sonia Bond, de la CSDM, afin de garantir des décisions justes et équitables pour tous. »

Le CLP autorisera ou non un enseignant à assister à un atelier, à une formation, à un programme de perfectionnement, à un colloque, etc.

FORMATIONS ET PERFECTIONNEMENT

Toutes les demandes concernant les formations et les programmes de perfectionnement destinés aux enseignants d'une école doivent être soumises au CLP, qui les évaluera.

Ainsi, un enseignant de Saguenay qui désire participer à un congrès à Trois-Rivières soumettra sa demande au CLP. Celui-ci évaluera l'ensemble de la demande (pertinence du sujet de perfectionnement, retombées possibles pour les collègues et l'école) et les coûts qui y sont liés (transport, repas, frais d'inscription et d'hébergement s'il y a lieu) avant de rendre sa réponse. Il s'assurera également que la décision est équitable pour tous.

LES RENSEIGNEMENTS À FOURNIR

Pour effectuer une demande de perfectionnement au CLP, vous devez normalement fournir les renseignements suivants (à partir d'un formulaire déjà existant dans la plupart des commissions scolaires) :

- une courte description de la formation ;
- les objectifs et le réinvestissement en classe ou à l'école ;
- la date, l'heure, l'endroit, la durée de la formation ou du perfectionnement ;
- les frais liés à cette formation ou au perfectionnement (transport, repas, inscription, hébergement) ;
- le nombre de périodes où l'on devra vous remplacer ;
- le public visé par cette formation.

UN BUDGET À RESPECTER

Un budget pour le perfectionnement des enseignants est déposé dans chaque école. Ce budget étant dédié à ce comité et conventionné, aucun transfert budgétaire n'est possible.

Comment soumettre un projet – ou l'art de maximiser les chances de faire accepter ses demandes

Vous êtes dynamique, créatif, et la routine vous ennuie ? Vous avez envie de proposer des activités, des sorties éducatives (théâtre, musée, etc.) ? Voici comment mettre les chances de votre côté afin que votre demande soit acceptée et que vos élèves profitent de vos initiatives.

À vos claviers !

Rédigez les grandes lignes de votre projet en prenant soin d'indiquer qui sont les personnes concernées et quels sont les ressources disponibles, la durée de l'activité, les coûts estimés et les objectifs pédagogiques. Démontrez que cette activité peut être réinvestie en classe et, mieux encore, qu'elle permettra de faire des liens directs avec un module en cours. Soyez clair, concis, précis : vous montrerez ainsi que ce projet vous tient à cœur et que les élèves autant que l'école en bénéficieront.

Rencontrer un membre de la direction

Prenez rendez-vous avec le directeur adjoint de votre école et présentez-lui votre projet, document à l'appui.

Puisque toutes les sorties avec des élèves doivent être validées auprès du CÉ, demandez si votre projet peut y être présenté.

Des étapes à respecter

« Il est important que le projet soit présenté au CPEPE advenant que la sortie ait lieu le jour d'un examen », indique le conseiller pédagogique Benoît Graton. « Dès qu'une activité **modifie ou transforme** la grille horaire, elle doit également être présentée au CÉ », ajoute Sonia Bond.

Un enseignant motivé, qui croit en son projet, a toutes les chances de voir celui-ci prendre forme. Les directions d'école encouragent le rayonnement et la réussite de leurs élèves. Soyez préparé, convaincu et convaincant, et elles vous appuieront !

Le code de vie

Grâce au code de vie, les enseignants adoptent une vision commune de l'encadrement des élèves. Habituellement, ce code est inscrit dans tous les agendas et doit être connu des enseignants et des élèves. Il contient notamment de l'information concernant le fonctionnement de l'école, les règles et consignes à suivre. Le code de vie, c'est le code de conduite adopté pour l'école.

Un code de vie à l'image de l'école

Le directeur consultera les enseignants lors d'une rencontre du CPEPE afin d'obtenir leurs suggestions et recommandations en ce qui a trait au code de vie ; de cette façon, il s'assure que le code répondra aux besoins spécifiques de l'école. Cette consultation pourrait également se faire en assemblée générale ou sous forme de sondage. Le code de vie est toujours approuvé par le CÉ.

« Il est important de consulter l'équipe-école afin que le code de vie soit en accord avec les valeurs que prône l'établissement, dit la conseillère pédagogique Sonia Bond. Chacun doit être mis à contribution. Dans les écoles secondaires, on fait souvent signer le code de vie inscrit dans l'agenda par l'élève et par le parent. Le code de vie, c'est un contrat d'engagement ! »

En début d'année, référez-vous au code de vie lorsque vous ciblerez vos règles de classe. Arrimez vos règles à celles de l'école. Dans le code de vie, on ne peut transgresser ce qui est indiqué, **c'est officiel** !

Le projet éducatif, le plan de réussite et le plan stratégique

Selon la Loi sur l'instruction publique (LIP) : l'école a pour mission, dans le respect du principe de l'égalité des chances, d'instruire, de socialiser et de qualifier les élèves, tout en les rendant aptes à entreprendre et à réussir un parcours scolaire. Elle réalise cette mission dans le cadre d'un projet éducatif mis en œuvre par un plan de réussite[7].

Le projet éducatif définit les grandes orientations de l'école. Il s'échelonne sur une période de cinq ans, est propre

7. LIP, Chap. III, École, Section III, Constitution, art. 36.

à chaque école et s'inspire du **plan stratégique** du ministère de l'Éducation, du Loisir et du Sport (MELS), ***L'école, j'y tiens! : Tous ensemble pour la réussite scolaire***[8].

PSITT ! Bon à savoir lorsque vous proposez un projet : touchez la cible !

Le **plan de réussite**, c'est l'ensemble des moyens d'action permettant d'atteindre les objectifs du projet éducatif. C'est un plan triennal revu tous les ans. Chaque commission scolaire a son plan de réussite et un plan stratégique, tout comme le ministère.

Qui collabore à ce projet éducatif ?

Le projet éducatif est élaboré, réalisé et évalué périodiquement avec la participation des élèves, parents, directeurs d'école, enseignants, autres membres du personnel de l'école, représentants de la communauté et de la commission scolaire[9].

Il contient les orientations propres à l'école et les objectifs mis en œuvre pour améliorer la réussite des élèves. Il peut inclure des actions pour valoriser ces orientations et les intégrer à la vie de l'école. Ces orientations et ces objectifs visent l'application, l'adaptation et l'enrichissement du cadre national défini par la loi, le régime pédagogique et les programmes d'études établis par le ministre. Le projet éducatif de l'école doit respecter la liberté de conscience et de religion des élèves, des parents et des membres du personnel de l'école[10].

Le **plan de réussite** de l'école est établi en tenant compte du plan stratégique de la commission scolaire. Il comporte :

- les moyens à prendre en fonction des orientations et des objectifs du projet éducatif, notamment les modalités relatives à l'encadrement des élèves ;
- les modes d'évaluation de la réalisation du plan de réussite.

Le plan de réussite est révisé annuellement et il est actualisé au besoin[11].

8. www.mels.gouv.qc.ca/sections/reussitescolaire/
9. LIP, Chap. III, École, Section III, Constitution, art. 36.1.
10. LIP, Chap. III, École, Section III, Constitution, art. 37.
11. LIP, Chap. III, École, Section III, Constitution, art. 37.1.

Le projet éducatif est toujours rédigé après l'analyse du milieu. Il est élaboré à la suite de l'analyse socioéconomique, des résultats du taux de décrochage scolaire, du milieu familial, de l'état de la situation de l'école, bref, de toute l'information permettant de tracer un portrait de la clientèle.

«Tous devraient être mis à contribution pour l'élaboration du projet éducatif, estime Benoît Graton, conseiller pédagogique. La première étape, c'est la consultation de l'équipe-école, afin de connaître les besoins du milieu, ce qui favorisera son implantation et, surtout, son adhésion. Il est important d'avoir un portrait de la clientèle: langue parlée, milieu socioéconomique, résultats scolaires, sentiment de sécurité dans l'école, etc. À la suite de cette analyse, l'équipe-école décidera des moyens d'atteindre les objectifs. C'est alors que prendra forme le **plan de réussite.**

« Chaque année, poursuit le conseiller pédagogique, on évaluera notre plan de réussite à l'aide d'indicateurs. Nous pourrons nous réajuster l'année suivante pour maximiser nos chances de réussite. »

Exemple de plan de réussite

À l'école secondaire Lucien-Pagé, la clientèle est composée de jeunes dont la majorité n'ont pas le français comme langue maternelle. Compte tenu de ce paramètre, le projet éducatif de cette école de la CSDM s'intéresse en priorité:

- à la valorisation du français;
- aux méthodes de travail;
- à l'implication dans l'école et dans la société québécoise.

« Ces cibles sont notre couleur, explique Benoît Graton. Ce sont nos trois principales orientations. Tout doit être lié à ces trois axes. Notre **plan de réussite** est établi en fonction de ces trois principales orientations. »

Les membres de l'équipe-école

Connaissez-vous vos collègues ?

Lorsque vous franchirez les portes d'une école, vous côtoierez des professionnels qui sont vos partenaires. Ces visages vous deviendront familiers, mais savez-vous quels rôles exercent vos collègues ? Savez-vous que certains d'entre eux pourraient collaborer avec vous en classe ?

Voici la liste des personnes-ressources de votre milieu scolaire (à l'interne ou à l'externe) ainsi que des exemples du rôle qu'elles exercent et des activités que ces collègues pourraient développer avec vous en classe. Ces exemples, qui différeront d'une école à l'autre, ont pour objectif de vous inspirer et de vous inciter à travailler en partenariat. Après tout, nous parlons d'équipe-école, n'est-ce pas ?

Portraits de quelques membres de l'équipe-école[12]

Ressources internes

Enseignant-ressource

Si son mandat le prévoit, il peut être appelé à porter une attention particulière aux nouveaux enseignants en leur offrant un accompagnement personnalisé. Il peut également assurer le suivi scolaire et aider les élèves à risque ou qui éprouvent des difficultés.

Technicien en éducation spécialisée

Il est chargé du suivi individualisé et du suivi des expulsions de classe en collaboration avec les enseignants. Souvent, il communique avec les parents, apporte du soutien aux enseignants, conseille ceux-ci sur leurs interventions ou sur le plan de classe, suggère des pistes de solution, etc.

12. Les tâches citées dans cette section sont des exemples et ne sont en aucun cas prescriptives.

Psychoéducateur

Il peut aller faire de l'observation en classe (dans certains cas), apporter du soutien aux enseignants et faire un travail de concertation avec eux afin de mettre en place des interventions qu'ils auront définies. Il évalue et oriente des élèves, au besoin.

Conseiller pédagogique

Le conseiller pédagogique peut accompagner les enseignants en classe et les soutenir en proposant des pistes de solutions aux défis rencontrés et des stratégies pédagogiques. Il fournit de l'information ministérielle et suggère du matériel didactique.

Conseiller d'orientation

Il peut faire des présentations en classe sur le système scolaire québécois, les choix de parcours et de cours, par exemple. Il peut rencontrer de façon individuelle les élèves qui désirent obtenir des renseignements sur leur cheminement scolaire et professionnel.

Psychologue

Il peut organiser des rencontres de groupe selon une thématique ciblée ou rencontrer individuellement des élèves.

Technicien en loisirs

Il peut aider les enseignants à organiser une activité ou à mettre sur pied des projets sportifs, culturels, etc. Il peut suggérer des activités à faire avec les élèves.

Secrétaire

Souvent, cette personne connaît les élèves par leur nom et aussi, de façon générale, le fonctionnement de l'école, les numéros de téléphone importants, les gens qu'il est important de pouvoir contacter, les ressources disponibles, etc. Elle est indispensable, faites-vous-en une alliée !

Concierge

Il connaît l'école par cœur et est le gardien des clés. Il peut donc vous faciliter l'accès à divers endroits. Sa collaboration est précieuse, car il peut vous aider à aménager votre local pendant l'année. Un autre partenaire essentiel.

Surveillant du dîner

Il voit et observe les élèves tous les jours. Il pourra peut-être vous éclairer sur le comportement ou l'attitude de certains d'entre eux.

Délégué syndical

C'est le gardien de la convention collective. Il représente les enseignants, il les guide, les soutient et les informe. Il peut vous conseiller notamment sur la grille-matières, la tâche de l'enseignant, ses droits, etc.

Infirmier

Il peut venir en classe parler de prévention, sensibiliser les élèves et les informer. C'est une ressource en matière de santé et en cas de maladie.

Animateur de vie spirituelle et d'engagement communautaire (rare, dans quelques écoles)

Il peut présenter des thématiques en classe, entreprendre des projets spéciaux, etc.

Bibliothécaire

Il peut vous suggérer, par exemple, des livres et de la documentation en lien avec la thématique d'une de vos activités et vous informer des nouveautés. Il connaît parfois des conférenciers, des partenaires ou a des renseignements sur des événements ou des concours à venir, etc.

PSITT !

Travailler en équipe demande de l'écoute et une grande ouverture aux autres afin d'arrimer les savoirs. Soyez réceptif aux nouvelles façons de faire et à d'autres stratégies d'enseignement, même si elles diffèrent des vôtres. Dans l'enseignement, les apprentissages sont sans cesse renouvelés. Vérifiez auprès de la direction les mandats des professionnels et des personnes-ressources de votre école afin d'entretenir des relations harmonieuses avec eux et d'éviter toute confusion.

L'éducation est une entreprise collective. Intégrer des partenaires à votre pédagogie permet de connaître votre milieu et votre environnement. Vous pourrez, en plus de faire des liens avec votre matière, renforcer votre relation avec vos élèves en les regardant évoluer dans de nouveaux contextes d'apprentissage. Parce qu'enseigner, ce n'est pas seulement livrer sa matière, c'est contribuer à façonner la relève dans une société où divers acteurs interagissent et collaborent.

Ressources externes

Voici quelques exemples de partenaires et d'organismes avec lesquels vous aurez peut-être l'occasion de travailler :

- animateurs d'activités parascolaires ;
- organismes communautaires (en matière de toxicomanie, sexualité, violence) ;
- agent sociocommunautaire (policier) ;
- carrefour jeunesse-emploi ;
- maison des jeunes ;
- maison de la culture ;
- théâtre de quartier ;
- bibliothèque municipale ;
- parents (on les oublie souvent, mais certains sont d'excellents conférenciers en classe !).

Chaque secteur, chaque région possède ses propres ressources. Consultez les vôtres, certaines n'attendent que votre appel ! Vos élèves bénéficieront de ce partenariat et votre enseignement n'en sera que bonifié.

MA PAGE PERSONNELLE

MA PAGE PERSONNELLE

Pour une meilleure connaissance de son milieu de travail

Les différents comités mis en place à l'école permettent non seulement de discuter de son fonctionnement, de son protocole, des règles à suivre, de la création et de l'organisation des projets spéciaux, mais aussi d'intervenir en continuant d'offrir le meilleur service possible aux élèves. Leurs membres apprennent à connaître le fonctionnement de leur école et participent au développement et au rayonnement de l'établissement.

Le code de vie doit être connu des élèves et des enseignants. C'est le code de conduite de l'école, alors arrimez-y vos règles de classe !

Le projet éducatif de l'école contient les grandes orientations de l'établissement. Sa connaissance permet au nouvel enseignant de comprendre les valeurs qu'on y prône et qu'on priorise.

Le plan de réussite, ce sont les actions mises en place pour atteindre les objectifs du projet éducatif.

Le plan stratégique regroupe les stratégies d'actions ministérielles concernant la persévérance et la réussite scolaires. Les écoles s'inspirent du plan stratégique ***L'école, j'y tiens ! : Tous ensemble pour la réussite scolaire*** pour établir leur projet éducatif et leur plan de réussite.

Les membres de **l'équipe-école** sont des alliés, des personnes-ressources importantes, apprenez à les connaître ; cherchez à découvrir les ressources (internes et externes) de votre milieu. Votre enseignement en sera enrichi et vos élèves en bénéficieront.

Du fond de la classe

par Georges Laferrière

LES RESSOURCES NATURELLES

Du fond de la classe... il regardait par la fenêtre. Pour l'instant, la classe était vide et inoccupée. Une pause, un répit dans la vie trépidante de l'école. L'heure de la récréation.

Dehors, tout près d'un arbre, à l'ombre du soleil et des regards, ils profitaient d'une pause méritée. Un petit 15 minutes... reconnaissance syndicale.

Tous les jours, ils se réunissaient pour causer, bavarder et partager un bon moment.

À les voir ainsi, du fond de la classe, il les avait qualifiés de « ressources naturelles » de l'école. Celles sans qui l'école ne pourrait fonctionner.

En effet, la bibliothécaire, le surveillant du dîner, l'infirmière, le technicien en loisir, la secrétaire, le concierge et même, parfois, le brigadier scolaire se réunissaient pour faire un brin de jasette et, dans le cas de quelques-uns, pour fumer une cigarette !

Aujourd'hui, comme cela arrivait parfois, la psychologue, le travailleur social et le chauffeur d'autobus scolaire s'étaient joints au groupe.

Une belle brochette d'intervenants importants et méconnus !

Pourtant, ils sont là, à l'accueil et au départ, pansent les blessures physiques et psychologiques, apportent leur soutien aux activités parascolaires, transportent et nourrissent les jeunes, font le lien avec les organismes ministériels, communautaires et municipaux !

Sans ces personnes aux talents multiples, la vie à l'école serait vraiment différente.

Puis, les observant attentivement, comme saisi d'un frisson, il se souvenait que, même en hiver, ces ressources naturelles se réunissaient à l'extérieur, au grand froid, malgré les rigueurs de la température sibérienne. Une marche en plein air, une petite pause santé.

Rien ne saurait les arrêter ? Des ressources inépuisables ? Faudrait y faire attention !

Du fond de la classe, il les regardait s'animer, se taquiner et jaser et, comme les élèves, il avait besoin de ces ressources essentielles !

CHAPITRE 8

LE RÔLE DU PSYCHOÉDUCATEUR ET DU TECHNICIEN EN ÉDUCATION SPÉCIALISÉE

OBJECTIFS

- Découvrir les fonctions du psychoéducateur et du technicien en éducation spécialisée.
- Apprendre à travailler en partenariat avec les professionnels de son école.

Entrevue avec des personnes indispensables

Le psychoéducateur et le technicien en éducation spécialisée (communément appelé TES) interviennent directement auprès des élèves. Ce sont des personnes-ressources indispensables, et ce sont vos alliés ! Dans les pages qui suivent, vous trouverez des exemples concrets de leurs tâches et fonctions au quotidien, et leurs propos vous permettront de mieux comprendre l'importance de travailler en partenariat avec eux.

Marie-Josée Lemelin est technicienne en éducation spécialisée.

Mélanie Martel est psychoéducatrice. Toutes deux travaillent à l'école secondaire Père-Marquette (CSDM).

Rôle général

➤ ***Marie-Josée et Mélanie, vous travaillez à l'école secondaire Père-Marquette, qui accueille environ 1 150 élèves et près de 90 enseignants[1]. Quel est votre rôle à l'école ?***

Mélanie Martel : En tant que psychoéducatrice, je fais le suivi des élèves *identifiés*, c'est-à-dire ceux qui présentent des difficultés d'adaptation, plus précisément sur le plan comportemental. Ma tâche consiste, entre autres :

- à assurer le suivi et l'évaluation des élèves (ce qui peut inclure leur acheminement vers d'autres services ou le transfert d'école, si nécessaire) ;
- à mettre en place des interventions ;
- à établir des programmes de prévention selon une problématique ciblée ;
- à soutenir les enseignants en relation avec des élèves présentant des troubles du comportement.

➤ ***Les psychoéducateurs vont-ils dans les classes ?***

Mélanie : Bien sûr. Je réalise des interventions de groupe, en classe, mais de façon ponctuelle. Dans le passé, j'ai fait de la prévention en toxicomanie avec une intervenante d'un organisme communautaire. Nous avons animé des ateliers de groupe. Je collabore aussi avec la policière sociocommunautaire

1. Source : www.csdm.qc.ca.

qui vient à l'école tous les mercredis. Elle anime également des activités de prévention[2].

Lorsque je vais dans une classe, c'est surtout dans le but d'observer les jeunes, parce que je suis en période d'évaluation d'une situation. En général, je demande à l'enseignant de compiler des faits observables, mais il faut tout de même que j'aille constater moi-même de façon concrète ce qui, dans le climat de la classe, influence le comportement d'un jeune.

Régulièrement, des enseignants viennent me dire: «Je ne sais pas par quel bout commencer. On dirait que je suis mal parti. Après deux mois, je n'ai toujours pas le contrôle de ma classe!» Je peux évaluer la situation avec eux, mais **je ne touche pas à l'aspect pédagogique**. Il faut faire attention, parce que la pédagogie, c'est une méthode, une façon d'enseigner pour capter l'attention d'un groupe. Lorsque les enseignants me consultent, c'est que le problème se situe ailleurs. L'enseignant a beau être le meilleur des pédagogues, il arrive que les élèves ne l'écoutent pas, que des comportements dérangeants l'empêchent de faire un bon travail.

J'interviens donc sur le plan de la gestion de la classe et non sur celui de la pédagogie. Il faut établir un «plan de match», une marche à suivre. Ainsi, à la suite de mes observations, je peux dire à une enseignante: «OK, ton leader négatif, on va le déplacer. On va le mettre ailleurs dans la classe et essayer autre chose. Il y a de l'intimidation dans ta classe, as-tu remarqué? Qu'est-ce qu'on fait avec ça?»

Mon travail consiste à apporter du soutien aux enseignants afin de cerner ce qui ne fonctionne pas, à leur permettre de reprendre en main la gestion de la classe et, par le fait même, la gestion des comportements.

➤ *Marie-Josée, vous qui êtes technicienne en éducation spécialisée, quel est votre rôle?*

Marie-Josée Lemelin: Mon travail consiste, entre autres, à faire le suivi des élèves. Cela implique:

- le suivi individualisé;
- le suivi des expulsions de classe;
- le suivi des feuilles de route;
- le contact avec les parents.

2. Les agents sociocommunautaires sont des personnes-ressources des postes de quartier qui peuvent, entre autres, rencontrer des jeunes pour les sensibiliser à des problématiques, leur donner des conseils de sécurité et de prévention.

Par exemple, je communique avec les parents au sujet des absences, des retards, des expulsions de classe et des retenues. J'entretiens également des liens étroits avec la direction adjointe et la secrétaire.

Puisqu'il y a deux TES dans notre école, je m'occupe des élèves du premier cycle (1re et 2e secondaire) et ma collègue s'occupe des élèves de 3e secondaire et des élèves en adaptation scolaire. En 4e et 5e secondaire, il n'y a pas de TES ; par contre, les enseignants-ressources réussissent à apporter leur expertise. De toute façon, en 4e et 5e secondaire, nous constatons que c'est du côté des absences qu'il y a davantage de problèmes.

Tout comme la psychoéducatrice, je peux aller en classe, mais je ne fais pas d'évaluation. Je vais observer et j'interviens ensuite, au besoin. Je peux aussi suggérer à l'enseignant des moyens d'intervention et des pistes de solution.

➤ *Travaillez-vous en collaboration, la psychoéducatrice et toi ?*

Marie-Josée : Dans le cas du suivi d'élèves, nous n'avons pas le choix, nous travaillons en partenariat. Puisque j'interviens sur le plan du comportement, mon rôle précède celui de la psychoéducatrice. Quand un comportement indésirable s'installe et persiste, nous collaborons. À la suite d'un travail de concertation, Mélanie présente des pistes de solution que je n'avais pas envisagées et procède à d'autres interventions. Nos échanges permettent d'avoir une vue d'ensemble de la situation.

Mélanie : Dans notre école, la priorité est de bien encadrer les élèves de 1re et de 2e secondaire. Nous investissons le maximum de services professionnels à ces niveaux, à titre préventif.

➤ *Est-ce que toutes les écoles bénéficient de services de professionnels tels que TES et psychoéducateurs ?*

Marie-Josée : Presque toutes. Il peut arriver que, dans certaines écoles, il n'y ait pas de psychoéducateur présent cinq jours, mais elles ont des techniciens en éducation spécialisée.

Mélanie : Tout dépend des choix faits par les écoles. Certaines ont jusqu'à trois psychoéducateurs à cinq jours. Dans notre école, nous avons la chance d'avoir en plus une psychologue, ce qui est rare au secondaire. C'est formidable de pouvoir offrir des services multidisciplinaires aux élèves.

Expulsions de classe et suivi d'élèves

➤ *Comment une expulsion de classe se passe-t-elle, concrètement ?*

Marie-Josée : L'élève arrive à mon bureau, accompagné d'un surveillant de classe (pour éviter les déplacements inutiles), avec sa feuille d'expulsion de classe qui m'indique ce qui s'est passé.

Il y a évidemment une période de retour au calme parce que, parfois, l'élève est incapable de parler… Parfois, je le laisse 10 minutes à mon bureau, seul, pour qu'il s'apaise. Après, nous discutons. Nous faisons une réflexion (je privilégie le mode verbal, mais parfois, l'élève procède par écrit) selon l'état de l'élève et la situation.

➤ *Quelles sont les conséquences d'une expulsion de classe ?*

Marie-Josée : Maintenant, une expulsion de classe implique une retenue le lendemain matin, avant les heures de classe.

➤ *Y a-t-il d'autres conséquences ?*

Mélanie : Lorsque nous aurons un local de retrait, l'élève aura à y faire une réflexion dans un court délai suivant l'expulsion de classe. La retenue du lendemain matin sera alors appliquée ou non, selon les cas.

Marie-Josée : Si les expulsions se répètent, l'élève rencontre la direction adjointe, et si jamais le problème devient chronique, il risque la suspension.

Mélanie : On pourrait renvoyer à la maison un élève qui accumule plusieurs expulsions de classe dans une journée.

Marie-Josée : La suspension peut être immédiate si la gravité du comportement l'exige. C'est ce qui se passe à notre école dans les cas d'impolitesse grave. Il n'y a pas de rencontre avec l'enseignant et un intervenant. L'élève suspendu doit venir rencontrer la direction, accompagné de ses parents.

Mélanie : Si, par exemple, l'élève a été suspendu à la 4e période, il peut revenir à l'école le lendemain matin. On ne cherche pas à lui faire perdre des cours ; la suspension, c'est un **arrêt d'agir,** une façon concrète de signifier à l'élève la conséquence de ses actes : le retrait non seulement de la classe, mais de l'école. La durée de la suspension est déterminée en fonction de la gravité de l'événement.

Marie-Josée : La durée de la suspension dépend aussi de la disponibilité du parent avec qui se fera le retour à l'école.

L'importance de rester objectif et de laisser des traces

➤ ***Selon vous, quelles sont les causes les plus fréquentes d'expulsion de classe ?***

Mélanie : Dans le passé, on a parfois abusé des expulsions de classe ; on y avait recours parce que les élèves n'avaient pas leur matériel, n'avaient pas fait leur devoir ou n'étaient pas allés à leur retenue ou à leur récupération. Marie-Josée et moi avons dû intervenir parce que la file était trop longue devant mon bureau ! (Il n'y a pas de local de retrait.)

Nous avons rencontré l'équipe-école pour expliquer le nouveau protocole. Les motifs ont été clarifiés : on n'expulse plus l'élève sur les seuls motifs qu'il parle, dérange. Même chose s'il n'y a pas eu d'avertissement préalable. Nous misons sur la gradation des interventions.

Marie-Josée : L'enseignant doit indiquer sur une fiche les interventions auxquelles il a eu recours avant d'expulser un élève de la classe. Autrement dit, avant d'en arriver à l'expulsion, il y a plusieurs étapes à franchir.

Mélanie : Il faut éviter, par ailleurs, que l'expulsion soit en rapport avec le niveau de tolérance – ou de fatigue – de l'enseignant. L'expulsion doit être motivée uniquement par le comportement du jeune. Nous avons donc amélioré notre feuille d'expulsion de classe. L'enseignant doit y noter le nombre d'avertissements, le nombre d'interventions effectuées, et ainsi de suite. Nous avons besoin d'un historique pour intervenir adéquatement. À la dernière période du vendredi, tout le monde est fatigué, ce n'est pas une raison pour en expulser 10… Voilà ce que nous cherchons à leur dire.

Marie-Josée : Lorsque nous recevons un élève, nous devons savoir pourquoi l'enseignant l'a expulsé afin d'adapter notre intervention et le sujet de réflexion, s'il y a lieu. Par la suite, il est important que l'enseignant nous explique ses attentes et ses exigences.

Mélanie : À notre école, on exige maintenant que les enseignants fassent un suivi de classe. Avant, on leur « suggérait » de le faire. Il faut qu'ils aillent voir l'éducatrice après une expulsion pour savoir comment la situation a évolué. Parce que s'ils ne font pas de suivi, la situation ne se réglera pas – même si l'élève a réintégré sa classe. Nous avons créé un protocole pour maximiser les résultats.

La conséquence de l'absence d'intervention

➤ *Qu'arrive-t-il si un enseignant ne réagit pas aux comportements indésirables ?*

Marie-Josée : Un enseignant qui n'intervient pas – parce qu'il est débordé en classe, par exemple – finit par ne plus voir les comportements indésirables ; il est dépassé, il laisse aller la situation… Cet enseignant ne fera probablement pas le suivi des expulsions ni les appels aux parents. Il sera pris dans un cercle vicieux et le sortir de cette situation deviendra difficile.

Avec le protocole, qui est plus clair, on prévient ce genre de spirale. Les directions adjointes sont à cheval sur ce principe et renvoient la responsabilité à l'enseignant au lieu de régler le problème en agissant comme premier intervenant. Nous le répétons, l'enseignant ne peut en référer au directeur adjoint en début d'intervention. À moins d'affronter une situation exceptionnelle, il doit respecter certaines étapes.

Lorsqu'on arrive au stade de la rencontre avec la direction, c'est que diverses étapes ont été franchies et que plusieurs procédés ont été utilisés. Il y a beaucoup d'élèves dans une école, et il est important d'avoir recours aux moyens mis en place pour contribuer au succès de tous.

➤ *Quel délai votre école demande-t-elle de respecter pour effectuer le suivi des élèves expulsés ?*

Marie-Josée : Le suivi doit être fait la journée même de l'expulsion, ou le lendemain.

➤ *Les enseignants ont bien des contraintes de temps… Comment y arrivent-ils ?*

Marie-Josée : Une expulsion, ça ne se produit pas tous les jours ! Les enseignants rencontrent les élèves concernés à la période libre, aux pauses ou après l'école.

➤ *Pourquoi le délai est-il si court ?*

Marie-Josée : Parce que si l'enseignant ne prend pas le temps de rencontrer rapidement l'élève, celui-ci se retrouvera dans sa classe au cours suivant – ce qui veut dire le lendemain, le surlendemain ou parfois la journée même; or, si le problème n'est pas réglé, la situation risque de se dégrader. L'expulsion n'aura alors servi à rien…

L'expulsion, c'est le retrait du groupe; c'est un rejet, en quelque sorte. C'est une façon de passer un message, de dire: « Quand tu as ce comportement et cette attitude, ça ne fonctionne pas. » Il faut savoir comment on va rétablir le contact parce que le jeune est peut-être frustré, déstabilisé… Il faut s'assurer que cette frustration est contrôlée avant son retour en classe.

Nous, nous pouvons parler avec l'élève dans notre bureau. Il peut bien nous jurer: « J'le ferai plus! J'le ferai plus! », mais il est primordial que l'enseignant rétablisse le contact avec l'élève avant qu'il réintègre le groupe.

Marie-Josée: De par nos fonctions, nous entretenons une relation d'aide avec l'élève. Le lien de l'élève avec l'enseignant est différent. Il est important que ce soit ce dernier qui rétablisse les ponts entre eux deux.

➤ *De quelle façon appuyez-vous les enseignants dans leurs interventions et leurs suivis d'élèves?*

Mélanie: Parfois, avant que l'enseignant convoque l'élève pour effectuer le suivi, nous le rencontrons pour l'outiller et lui expliquer ce que nous avons fait comme intervention et l'informer de la conséquence qui sera appliquée. Notre objectif est d'abaisser la tension.

Il arrive quelquefois que l'enseignant dise: « Non, non, lui, je ne le veux plus dans ma classe! Je ne le veux plus de l'année! » Alors, on s'efforce de détendre la situation, d'envisager avec lui des pistes de solution. Par contre, si l'enseignant n'est pas en accord avec la conséquence appliquée et suggère, par exemple, une plus grosse copie que ce qu'on a demandé à l'élève de faire, là, on peut intervenir auprès de l'enseignant et au besoin transmettre le dossier à la direction.

➤ *De quelle façon allez-vous intervenir?*

Mélanie: Nous allons expliquer à l'enseignant que l'élève était d'accord pour appliquer la conséquence liée à l'incident arrivé en classe. Par contre, si l'enseignant persiste à exiger une conséquence plus lourde que celle que nous avons déterminée, nous sommes bloquées… Nous devons travailler en collaboration.

L'appel aux parents

> ***Quelle autre étape recommandez-vous en ce qui concerne le suivi d'élèves ?***

Marie-Josée : On demande aux enseignants de communiquer avec les parents.

> ***Même si c'est la première expulsion ?***

Marie-Josée : Il est important d'informer les parents que leur enfant a été expulsé de la classe ; même si la situation s'est rétablie, les parents désirent le savoir.

Mélanie : Nous pouvons aussi communiquer avec les parents, mais l'impact sera plus grand si, par exemple, à la fin de la journée, plusieurs enseignants communiquent avec les parents d'un élève. Ça a une tout autre portée si l'enseignant de maths, puis celui de français et celui d'histoire téléphonent. Les parents se disent : « OK, ce n'est pas juste à cause de tel prof. Ça ne va pas bien, il se passe quelque chose. » C'est bien d'accentuer la pression et de responsabiliser les parents pour qu'ils fassent, de leur côté, un suivi à la maison.

> ***Certains préfèrent ne pas téléphoner aux parents en début d'année pour se garder en quelque sorte des moyens d'intervention « en réserve ». Qu'en pensez-vous ?***

Marie-Josée : À notre école, en 1re et en 2e secondaire, la direction exige que les enseignants téléphonent aux parents en début d'année et à tout autre moment de l'année à la suite d'une expulsion de classe ou pour les informer de comportements jugés inadéquats ou suscitant des inquiétudes. Par contre, au 2e cycle, c'est laissé à la discrétion de l'enseignant de contacter ou non les parents pendant l'année scolaire.

Mélanie : L'appel au parent ne doit pas être vu comme une munition ; c'est plutôt un moyen de prévention. Si un élève n'a pas eu un beau cours, qu'il a des comportements dérangeants, les parents nous reprocheront de ne pas les en avoir informés. Surtout au 1er cycle, ce qu'on leur communique les rassure. Ils veulent s'impliquer. Souvent, ils ne savent pas comment leur enfant s'adapte au secondaire, comment s'effectue la transition du primaire au secondaire.

Nouveaux enseignants : l'importance des balises

➤ ***Est-ce que vous rencontrez tous les nouveaux enseignants ?***

Mélanie : Leur offrir du soutien fait partie de notre mandat. D'abord parce qu'on ne veut pas les perdre. Lorsqu'un enseignant arrive dans une école, il est plein de bonnes intentions, mais il manque de moyens. Notre objectif est de fournir aux nouveaux enseignants les bons outils ; on veut surtout qu'ils n'attendent pas pour demander du soutien. Bien sûr, l'« orgueil du débutant » peut être tout à fait normal… mais celui-ci fait en sorte qu'ils gardent leur problème en classe ou méconnaissent les ressources. Leur problème devient lourd.

➤ ***Fréquemment, l'enseignant a peur de ne pas être à la hauteur. Il craint d'expulser un élève et d'être jugé par ses pairs, de décevoir la direction, etc. Vous observez ce genre de réaction, j'imagine ?***

Mélanie : Moi, je le vois avec certains enseignants. Par contre, d'autres sont très réceptifs, ils veulent prendre tous les moyens, connaître toutes les ressources. Ils sont ouverts et veulent tout, tout, tout, TOUT !

Il y en a d'autres plus solitaires, qui font leur petite affaire et certains qui sont naturellement à l'aise en classe et n'ont aucun problème. Tout dépend de la personnalité de l'enseignant, de la formation reçue, etc.

Plaire à tout prix… mais à quel prix ?

➤ ***Quelles erreurs fréquentes remarquez-vous chez les enseignants qui débutent ?***

Marie-Josée : Certains veulent plaire à tout prix, être les amis de leurs élèves… Ce genre d'attitude finit souvent par des problèmes de gestion de classe. On doit intervenir avec le groupe au complet, puisque c'est tout le groupe qui ne fonctionne pas. On s'efforce de convaincre les nouveaux enseignants d'éviter ce comportement. En début d'année, on insiste sur le fait qu'il faut user d'un peu plus de sévérité. Il faut fixer ses règles, ses consignes de classe. Le lien avec les élèves se crée naturellement après, grâce au sentiment de sécurité instauré. On s'efforce d'inculquer cette notion aux enseignants.

Mélanie : Quand on entend les élèves dire : « Ah, lui, y'est *full cool*, c'est mon meilleur prof ! », ce n'est pas long que le vent tourne. Lorsque ce même enseignant donne une retenue, il devient alors le pire. Comme les élèves ne s'y attendent pas, la conséquence est encore plus émotive. Ils n'ont plus d'objectivité… Il ne reste que l'émotion négative !

Mise en garde contre les médias sociaux

➤ *Quels conseils donnez-vous à un nouvel enseignant ?*

En chœur : PAS DE FACEBOOK ! *(rires)*

➤ *Pas de Facebook ?*

Mélanie : Parmi ceux qui utilisent Facebook, certains manquent de distance professionnelle. L'intention de départ est toujours bonne. Un enseignant dira, par exemple, à ses élèves : « Si vous avez des questions sur tel devoir, je vous donne mon adresse Facebook, j'ai créé un profil sécurisé, etc. » Le hic, c'est qu'un élève qui ne se sent pas bien un soir peut écrire à son prof pour se confier et lui demander un conseil plus personnel… À ce moment-là, ça devient un problème.

Lors de mes rencontres avec d'autres psychoéducateurs et TES, c'est un sujet de discussion. Nous le disons haut et fort : « **Facebook, c'est un problème.** » Certains enseignants ne sécurisent pas suffisamment leur profil.

➤ *En quoi Facebook est-il un problème ?*

Marie-Josée : Certains enseignants font des interventions sur Facebook sans connaître toute la dynamique du jeune. Ils font des suggestions et conseillent les élèves, alors que ces pistes de solution devraient être transmises par des professionnels qui ont l'expertise et les compétences requises. Ces enseignants pensent connaître les élèves parce qu'ils les ont en classe, mais ils n'ont pas toute l'information, donc pas de vision globale.

Mélanie : Je vous donnerai l'exemple d'une enseignante qui correspondait sur Facebook avec un élève. Ils avaient créé un bon lien. Cet élève avait été retiré de l'école et envoyé temporairement dans une école spécialisée. Nous étions en plein processus de réintégration du jeune dans le secteur régulier. Il avait fait beaucoup d'efforts. Un soir, en discutant avec son enseignante sur Facebook, l'élève lui mentionne qu'il va réintégrer l'école secondaire. Le lendemain, l'enseignante a répandu la bonne nouvelle dans l'école. Comme nous n'avions pas eu le temps de préparer les gens dans notre milieu, cette annonce a engendré beaucoup d'appréhension auprès des autres enseignants et provoqué divers problèmes… Ce que l'enseignante a fait, c'est délicat, parce que l'élève a une réputation, parce qu'il a été dans une école dite spéciale. Dans ce cas précis, son intervention a surtout nui au jeune. Elle a voulu bien faire, mais son geste a eu des conséquences considérables.

➤ *Avez-vous d'autres conseils pour les débutants?*

Marie-Josée: Nous ne le répéterons jamais assez: **tout commence avec la sécurité, c'est ce qui crée un lien entre l'enseignant et son élève**. Si l'enseignant encadre bien son groupe, si les balises fixées sont précises et si les consignes sont claires dès le départ, les liens pourront s'établir avec les élèves.

➤ *Pourtant, certains redoutent d'être étiquetés comme sévères, ou trop exigeants. Ils ont peur de se mettre les élèves à dos…*

Marie-Josée: Ceux qui pensent qu'ils ne créeront pas de liens en misant sur l'encadrement ont une perception totalement fausse. En premier lieu, il faut encadrer la classe, et ce, dès les premiers contacts. Les liens se créent ensuite. Le jeune a besoin de sécurité. Il est à l'école pour apprendre… dans un cadre sécuritaire. On pense qu'il est là pour le plaisir. C'est peut-être vrai. Mais il a surtout besoin de sécurité et d'encadrement, et ça, c'est prouvé: **les liens se créent dans la sécurité**.

Mélanie: Des jeunes viennent nous voir parce que, dans telle classe, l'atmosphère est trop fébrile et ça les insécurise. Il se passe trop de choses dans la classe. **Les enseignants sont les premiers responsables du climat de leur classe.**

Marie-Josée: Il est donc primordial pour les enseignants d'être clairs dès le départ et d'utiliser les services mis à leur disposition. La collaboration avec tous les services disponibles à l'école est très importante à titre préventif, par exemple, sur le plan du soutien. Ce sont les enseignants qui ont les élèves en classe, ils ont le pouvoir d'agir.

➤ *Faut-il créer des liens avec les élèves en dehors de la classe?*

Mélanie: Je dis aux enseignants: **«Soyez visibles dans l'école.»** En côtoyant les élèves dans un contexte différent de celui de la classe, les enseignants développent une relation privilégiée avec eux. Ce sont des moments gagnants, autant pour les jeunes que pour les enseignants. Même si ces derniers manquent de temps, je les encourage à voir leurs élèves lorsqu'ils se réalisent pleinement et font de beaux projets. D'ailleurs, on récupère beaucoup d'élèves grâce à ces activités qui sortent du cadre scolaire : quand ils se passionnent pour un sport ou une activité parascolaire, les comportements négatifs diminuent.

Les interventions de groupe

➤ ***Que pensez-vous des interventions de groupe ? Garder tout le groupe après la classe même si, pendant la période, seulement quelques élèves ont eu un comportement inadéquat…***

Marie-Josée : Personnellement, j'ai un peu de difficulté avec les interventions de groupe… même s'il m'arrive d'en faire, lorsque c'est la majorité qui a perturbé le cours. Je vais aller en classe pour soutenir l'enseignant.

➤ ***Il faut donc que les interventions de groupe soient planifiées et non spontanées ?***

Marie-Josée : Il faut que les élèves s'y attendent. Ils doivent être prévenus que l'intervention de groupe sera la conséquence de comportements dérangeants et persistants, dont ils connaissent la nature.

➤ ***Pourquoi ?***

Marie-Josée : Parce que, sinon, la réaction du groupe au complet sera vraiment vive, et c'est ce que nous voulons éviter.

Mélanie : Parmi les moyens que nous suggérons aux enseignants, certains utilisent le calmomètre[3] surtout ceux qui enseignent à des élèves de 1re secondaire. Cet outil est le thermomètre du groupe. Il indique, par exemple, que si on atteint tel niveau, la conséquence sera de rester après l'école. Il n'y a donc pas de surprise pour le groupe.

3. Il s'agit d'un instrument maison qui permet de mesurer le niveau de calme du groupe. Muni d'une flèche et de plusieurs couleurs, cet outil indique aux élèves les limites au-delà desquelles ils ont intérêt à se calmer… s'ils ne veulent pas en subir les conséquences.

Le plan de classe

➤ *Intervenez-vous en ce qui concerne les plans de classe ?*

Marie-Josée : Cette partie concerne directement la gestion de l'enseignant, mais nous pouvons l'aider et lui faire des suggestions. Lors des rencontres de secteur, ou lorsqu'on parle de cas d'élèves, ces questions reviennent : « Où est assis tel élève ? Est-il assis avec Untel ? »

S'il est question d'élèves de 2e secondaire, comme nous les avons déjà observés en 1re secondaire, nous pouvons plus facilement collaborer aux plans de classe, de façon à éviter des regroupements… explosifs ! Nous conseillons alors les nouveaux enseignants qui les ont pour la première fois.

Nous faisons également des recommandations à la direction : en juin et en septembre, on revoit les groupes. En début d'année, je révise le tout et regarde qui il ne faut pas placer dans une même classe et je propose des échanges, au besoin.

➤ *Les feuilles de route s'appliquent à qui, et pourquoi en remet-on aux élèves ?*

Marie-Josée : Les feuilles de route concernent principalement les comportements. Elles sont distribuées, par exemple, à des élèves qui ont accumulé plusieurs expulsions de classe et retenues, ou alors parce qu'on veut observer plusieurs comportements. La requête d'une feuille de route peut aussi venir d'un parent qui a reçu plusieurs appels d'enseignants et qui se demande si la mauvaise attitude de son enfant est fréquente ; il se demande si elle se manifeste dans tous les autres cours et veut plus d'information.

Mélanie : La demande d'une feuille de route peut même venir de l'élève ! J'en ai vu plusieurs qui jugeaient que cet outil les calmait.

➤ *Quel est le fonctionnement d'une feuille de route ?*

Mélanie : À la fin de chaque période, l'enseignant inscrit sur la feuille de route de l'élève une note sur 10, ajoute un commentaire et la signe. Les élèves qui ont une feuille de route doivent la faire signer par la TES à des moments précis, à la fin de chaque journée. Les parents doivent également la signer.

➤ *Combien de temps un élève a-t-il une feuille de route ?*

Mélanie : Dans la plupart des cas, sur une période d'un cycle, c'est-à-dire neuf jours. Toutefois, il est rare que l'élève l'ait seulement neuf jours. Souvent, moi, je veux un deuxième cycle de neuf jours, pour voir si tout est acquis et stabilisé. Certains en ont une toute l'année… mais est-ce que la feuille de route fonctionne vraiment si on l'utilise toute l'année ? J'en doute.

➤ *Qu'est-ce qu'un plan d'intervention adaptée (PIA) ?*

Mélanie : Le PIA contient les objectifs qu'un élève se fixe et les moyens qu'il s'engage à prendre pour réussir son année scolaire. En tant que psychoéducatrice, je m'occupe des PIA des élèves qui ont une cote 12 (trouble de comportement). « Cote 12 » signifie qu'il s'agit d'élèves qui bénéficient du service de psychoéducation.

Je travaille en partenariat avec l'enseignant. Ce dernier interviendra sur le plan des apprentissages et de la pédagogie et moi, sur le plan comportemental.

Tous les élèves qui ont une cote 10 (qui signifie « difficulté légère d'apprentissage ») doivent avoir un PIA à l'école, et ce, toute l'année.

➤ *Comment procédez-vous, de façon concrète ?*

Mélanie : Pour les cotes 12 (les troubles de comportements), je consulte les enseignants. Je leur demande de formuler des objectifs comportementaux. Par la suite, les enseignants s'assoient avec l'élève et lui demandent de suggérer des moyens qui l'aideraient dans son apprentissage. Il dira par exemple : « J'ai le droit de lever la main trois fois par période, de faire trois commentaires… » Ce sont des petits trucs que les enseignants voient avec l'élève. Je peux suggérer d'autres moyens, mais il faut s'assurer qu'ils correspondent au fonctionnement de l'élève et de l'enseignant. C'est pourquoi la rencontre enseignant-élève est une stratégie gagnante. Mon rôle est d'apporter du soutien et d'éviter que le PIA devienne un outil administratif. Il faut faire vivre le PIA et en assurer la réussite, c'est un défi que nous devons relever chaque année. À titre indicatif, nous avons plus d'une soixantaine de PIA pour 1 200 élèves.

➤ *Vous avez parlé des cotes des élèves. Qui peut ajouter ou enlever une cote?*

Mélanie: Seul le psychoéducateur peut coter et enlever les cotes des élèves, à la suite d'une analyse et d'une évaluation. Il s'agit d'une analyse du niveau d'adaptation du jeune par rapport à ses comportements. C'est une grosse responsabilité, parfois lourde à porter. Avant, les cotes étaient données sans évaluation. Des décisions ont alors été prises: on a déterminé le type d'évaluation à effectuer auprès des élèves afin d'attribuer ou non une cote, et ce sont les psychoéducateurs qui ont hérité de ce mandat.

Les cotes se donnent toujours avec une évaluation; moi, je recommande une cote, mais c'est la direction qui a le mandat de l'attribuer ou non.

Marie-Josée: La procédure idéale serait de se rencontrer en comité clinique, de discuter entre intervenants: est-ce qu'on devrait coter tel élève, compte tenu des observations et constats? Les cotes devraient être revues chaque année. Toutefois, ce n'est pas toujours le cas. Il peut arriver qu'un élève arrive du primaire avec une cote et qu'il la conserve jusqu'à la fin du secondaire.

➤ *Qu'est-ce qu'un dossier d'aide particulière (DAP)?*

Marie-Josée: Dans la plupart des cas, le DAP suit automatiquement l'élève d'une école à l'autre. Ce sont des renseignements concernant le dossier comportemental du jeune: PIA, évaluations s'il y a lieu, etc. Nous y avons accès grâce au secrétariat. Nous avons donc un portrait de ce qui s'est passé au primaire. Le suivi est simple lorsque l'élève vient de la même commission scolaire. Pour l'enseignant, c'est intéressant à savoir. L'enseignant qui a un élève coté a accès au DAP afin d'avoir de l'information sur son élève[4]. Il n'a qu'à en faire la demande au secrétariat du directeur adjoint. **L'enseignant a le droit d'avoir accès à l'information portant sur des élèves de sa classe pour pouvoir adapter ses interventions.**

4. Les enseignants ont le droit d'avoir accès aux PIA et autres informations liées au comportement, sauf en ce qui a trait aux informations confidentielles, réservées aux professionnels.

➤ *En terminant, de quelles réalisations êtes-vous le plus fières ?*

Mélanie : Moi, je suis fière de la structure solide qu'on vient de mettre en place concernant le suivi des élèves. Ça faisait longtemps qu'on avait reconnu la présence de lacunes et là, on agit, on est dans le concret. On observe et on s'ajuste au fil des jours. C'est un travail qui concerne l'équipe-école ; on va tous dans le même sens, c'est super stimulant !

Marie-Josée : J'ai mis sur pied une équipe de *cheerleaders* comme activité parascolaire. J'avais besoin de relever de nouveaux défis, j'ai eu le goût de m'impliquer. L'an passé, j'ai fait ma demande et, cette année, j'ai pu engager un entraîneur. C'est une belle façon d'établir un contact tout à fait différent avec les élèves. Nous avons eu 53 inscriptions pour une première année ! Il n'y a que du positif dans ce projet… et ça ne fait que commencer !

Mélanie Martel a fondé avec la psychoéducatrice Audrey Leblanc le groupe formation intervention (GFI), qui offre des services d'expertise en psychoéducation. Pour en savoir davantage : www.groupeformationintervention.com.

Pour suivre les exploits du groupe de *cheerleaders* de Marie-Josée, à l'école Père-Marquette, consultez le site : www.csdm.qc.ca, onglet « La vie des écoles ».

Du fond de la classe

par Georges Laferrière

DANS LE CORRIDOR

Du fond de la classe... Déjà 17 h 30. Tout le monde était parti, ou presque. Il entendait une conversation faisant écho dans le corridor, vide à ce moment de la journée. Tout près de la porte... aux limites de la classe, dans l'école tout de même, ils parlaient de la vie à l'extérieur des murs et de ses effets sur les élèves. Ils jasaient en toute simplicité. Pourtant, le sujet était tellement important !

Pedro, le psychoéducateur, et Kim, la technicienne en éducation spécialisée, les gentils « travailleurs de rue » profitaient d'une pause. Plusieurs les appelaient ainsi par ignorance, par dépit ou tout simplement par amitié. Car ils œuvraient dans les corridors et dans tous les recoins inconnus menant à leur bureau.

Tout de même, une belle complicité les unissait aux enseignants et aux élèves. Et pourtant, ils vivaient à la limite permise entre les deux clans. Aimés et rejetés, à la fois amis et adversaires, selon les perceptions... Toujours en équilibre entre la tension et la détente, le paradoxe de la société à l'intérieur de l'école.

Certains ne juraient que par eux. Pedro et Kim représentaient la soupape de sécurité pour le maintien d'une vie plus harmonieuse entre tous les groupes cohabitant dans le quartier scolaire.

D'autres les toléraient avec crainte. Pour eux, ils incarnaient une forme de moindre mal dans un milieu du savoir... qui n'avait que faire de tous ces élèves désabusés, source de problèmes.

Pour beaucoup, ils étaient des amis, des complices... des confidents qui les comprenaient. Pour d'autres ils représentaient des tortionnaires, des « flics déguisés en monde » qui les embêtaient. Quoique, parfois, un rien faisait tout chavirer !

Pedro et Kim parlaient de leur plaisir à contribuer au développement des jeunes. Ils élaboraient des théories pour améliorer les relations entre tous les intervenants du milieu. Un moment tranquille dans leurs longues journées.

Ils refaisaient le monde en se référant aux élèves, aux parents, aux enseignants, aux directions de l'école et de la police... et aux jeunes ayant quitté l'école. Leurs vis-à-vis de tous les jours. Une mosaïque culturelle, sociale et linguistique pas facile à concilier, mais tellement valorisante !

Tout à coup, une autre voix. Un appel du bout du corridor ! Puis... un silence... Pedro et Kim étaient partis répondre à cet appel. La journée n'était pas terminée.

Du fond de la classe, il écoutait le silence et soudain, comme les élèves, il le gardait !

TROISIÈME PARTIE

MOI, MA COMMISSION SCOLAIRE ET L'ENVIRONNEMENT PÉDAGOGIQUE

- LE RENOUVEAU PÉDAGOGIQUE ET LES PARCOURS DE FORMATION
- LA COMMISSION SCOLAIRE : PORTRAIT ET FONCTIONNEMENT
- SOLLICITER UN EMPLOI DANS UNE COMMISSION SCOLAIRE

CHAPITRE 9

LE RENOUVEAU PÉDAGOGIQUE ET LES PARCOURS DE FORMATION

OBJECTIFS

- Découvrir les fondements du renouveau pédagogique.
- Se familiariser avec les nouveaux parcours de formation du secondaire.

L'abc du renouveau pédagogique et des parcours de formation

Le désir d'apporter des changements au système d'éducation ne date pas d'hier. Notre société étant en constante évolution/transformation (qu'on pense à l'enrichissement multiculturel, à l'influence des médias et de la technologie ou à l'accès à l'information quasi illimité partout et en tout temps), les milieux scolaires n'ont d'autre choix que de s'adapter en revoyant certaines pratiques et approches pédagogiques afin de répondre aux besoins des apprenants d'aujourd'hui.

Finie l'époque où l'on devait renforcer les courroies de nos sacs à dos pour transporter les précieux volumes et ouvrages de référence, trouvés après de longues recherches – et parfois même attendus depuis des semaines parce qu'un usager de la bibliothèque avait omis de les rapporter. Aujourd'hui, on peut obtenir une somme mirobolante de données grâce à un simple clic ! Le système scolaire québécois a amorcé sa transformation en 1997 afin de correspondre à certains paradigmes de la société actuelle. Tentons de comprendre les grandes lignes de cette réforme.

Le renouveau pédagogique en bref

La réforme scolaire, dont l'implantation en 5e secondaire s'est terminée en 2009-2010, est **appelée « renouveau pédagogique »**. Amorcée au milieu des années 1990, elle a notamment comme objectif de moderniser le système éducatif québécois.

Comment ? En modifiant le curriculum des élèves.

Pourquoi ? Pour répondre aux besoins d'une société qui évolue à un rythme effarant, tout simplement.

Elle vise également à utiliser en classe les technologies de l'informatique et des communications (TIC) comme ressources pédagogiques. Peut-on croire que les objectifs sont atteints ? Seul le temps le dira.

Mais quelle est cette nouvelle approche pédagogique ? Qu'a-t-elle de si spécial pour qu'on qualifie de RENOUVEAU notre cadre pédagogique ?

L'élève est au centre de son apprentissage, directement engagé, impliqué et concerné, voilà les prémisses de ce renouveau. Certains diront que, jusqu'à maintenant, il n'y a là rien de neuf, puisque l'élève doit depuis toujours s'impliquer et s'engager tout au long de son parcours scolaire. En fait, l'approche pédagogique actuelle se distingue par le fait que l'apprenant doit non seulement intégrer et retenir des connaissances, mais également développer des compétences, c'est-à-dire faire un transfert, établir des liens, expérimenter, se questionner, donner un sens à ce qu'il voit, entend et comprend. Le rôle de l'enseignant est aussi modifié. Il guide et accompagne ses élèves tout en créant un contexte qui favorise l'expérimentation, un espace où l'interaction est de plus en plus présente, puisque les cours magistraux n'ont plus la cote… ou, du moins, ne tiennent plus la vedette principale !

Afin que l'élève puisse développer des compétences et acquérir des connaissances dans un contexte qui correspond à son profil, on a établi de nouveaux parcours de formation.

Les parcours de formation[1]

L'élève de troisième secondaire du secteur régulier peut maintenant choisir le parcours de formation le plus approprié à son cheminement scolaire. Deux parcours mènent à l'obtention d'un diplôme d'études secondaires (DES) :

- le parcours de formation générale ;
- le parcours de formation générale appliquée.

QU'EST-CE QUI DISTINGUE LES PARCOURS DE FORMATION ?

La différence majeure entre le parcours de formation générale et le parcours de formation générale appliquée se situe sur le plan des cours de sciences et de leur approche. Dans le parcours de **formation générale**, on aborde des notions touchant les **phénomènes et concepts**. On s'intéresse au **pourquoi**. Dans le parcours de **formation générale appliquée**, les notions concerneront les applications, la fonction pratique et technique. On aborde le **comment**.

Par ailleurs, dans le cadre du parcours de formation générale appliquée, de nouveaux programmes sont offerts aux élèves du 2e cycle du secondaire :

- le Projet personnel d'orientation (PPO) ;
- l'Exploration de la formation professionnelle ;
- la Sensibilisation à l'entrepreneuriat.

1. Merci à Jean-François Dufour, conseiller d'orientation et analyste au Réseau des établissements scolaires de la formation professionnelle, à Céline Robert, conseillère pédagogique au Réseau des écoles spécialisées pour les élèves handicapés ou élèves en difficulté d'adaptation ou d'apprentissage (EHDAA) ainsi qu'à l'équipe des conseillers pédagogiques du Réseau Nord (mathématiques) de la Commission scolaire de Montréal pour leurs précieux renseignements.

Ces programmes permettent d'améliorer, entre autres, la connaissance de soi, d'acquérir des notions de base du système scolaire québécois et d'apprendre dans l'action et l'expérimentation des notions reliées au marché du travail[2].

À CHACUN SES MATHS !

En 3e secondaire, l'élève est également amené à choisir parmi **trois séquences mathématiques**, et ce, peu importe son parcours. Son choix sera motivé par l'approche et les exigences propres à chaque séquence. Il ciblera celle avec laquelle il a le plus d'affinités et celle qui correspond le mieux à ses ambitions. Ces séquences font partie des programmes de 4e et de 5e secondaire.

- **Culture, société et technique (CST).** Cette séquence prépare l'élève à poursuivre ses études plus particulièrement dans le domaine des arts, de la communication et des sciences humaines et sociales. Elle permet l'accès à plus de 80 % des programmes préuniversitaires, techniques et professionnels. On y voit les mathématiques comme un outil utile au quotidien.
- **Sciences naturelles (SN).** Cette séquence prépare l'élève aux programmes axés sur la recherche. Elle donne accès aux autres programmes préuniversitaires, techniques et professionnels liés aux sciences ou à d'autres domaines d'activité. On y aborde les mathématiques de façon plus abstraite.
- **Technico-sciences (TS).** Cette séquence prépare l'élève à accéder à l'ensemble des programmes techniques dans tous les domaines d'activité. Elle permet l'accès à tous les programmes techniques, professionnels et préuniversitaires, notamment Sciences de la nature. On y voit les mathématiques de façon plus concrète.

Le parcours de formation axée sur l'emploi

Ce troisième parcours est offert à des élèves qui, pour diverses raisons, n'ont pas accès aux parcours réguliers du 2e cycle du secondaire.

Le parcours de formation axée sur l'emploi comprend deux formations :

- **la formation préparatoire au travail (FPT) ;**
- **la formation menant à l'exercice d'un métier semi-spécialisé (FMS).**

---

2. Il est possible que ces programmes soient offerts aux élèves du parcours de formation générale en cours optionnels.

FORMATION PRÉPARATOIRE AU TRAVAIL (FPT)

Alternance stages-études

Durée de la formation: 3 ans.

Pour qui? L'élève âgé de 15 ans ou plus au 30 septembre qui n'a pas atteint, à la fin du 1er cycle du secondaire (1re, 2e secondaire), les objectifs des programmes d'études du primaire en français et en mathématiques. L'élève poursuit ses études dans tous les domaines d'apprentissage, sauf les arts. Il bénéficie d'une formation pratique (programme stages et préparation au marché du travail). Tous les programmes sont adaptés, c'est-à-dire écrits spécifiquement pour répondre aux besoins des jeunes de la FPT.

Passerelle: si l'élève réussit le cours «stages» dès la deuxième année ou au début de la troisième, ET s'il atteint les échelons requis en français et en mathématiques, il a accès au certificat de la FMS durant sa troisième année en FPT.

À la fin de sa formation, si l'élève réussit le cours «stages», il obtiendra un **Certificat de formation préparatoire au travail (CFPT)**. Et s'il a eu accès à la passerelle, il obtiendra un **Certificat de formation à un métier semi-spécialisé (CFMS)**.

FORMATION MENANT À L'EXERCICE D'UN MÉTIER SEMI-SPÉCIALISÉ (FMS)

Alternance stages-études

Durée de la formation: 1 an, avec la possibilité de faire un 2e certificat si l'élève répond aux conditions d'admission.

Pour qui? L'élève âgé de 15 ans ou plus au 30 septembre qui a atteint les objectifs des programmes d'études du primaire en français et en mathématiques, mais qui n'a pas obtenu les unités du 1er cycle du secondaire dans ces matières. L'élève poursuit ses apprentissages de 1er cycle du secondaire régulier en français, en mathématiques et en anglais. Il profite aussi d'une formation pratique: stage et préparation au marché du travail. À la fin de sa formation, si l'élève réussit sa formation pratique, il obtiendra un **Certificat de formation à un métier semi-spécialisé (CFMS)**.

Passerelle: si l'élève réussit en français, en mathématiques et en anglais, il a la possibilité de poursuivre ses études en 3e secondaire ou de participer à un projet particulier de 3e secondaire menant à la formation professionnelle. Si, en plus, il a reçu son CFMS, il a accès, jusqu'en juin 2013, à certains diplômes d'études professionnelles[3] (DEP).

---

3. Cette passerelle provisoire sera réévaluée en 2013.

UNE MINUTE D'HISTOIRE[4]

La Commission Parent, ça vous dit quelque chose ?

Depuis sa création, le système d'éducation du Québec a subi plusieurs transformations et réformes. La plus connue découle des recommandations de la Commission Parent, parues dans un rapport en cinq volumes entre 1963 et 1966 : le *Rapport Parent* a établi les bases du système d'éducation actuel. Voyons un peu ce que cette Commission royale d'enquête sur l'enseignement dans la province de Québec (son vrai nom) a voulu mettre en place.

1960. Les *milk shakes* ont la cote, Elvis et les Beatles font hurler des millions de jeunes filles... et au Québec, on assiste à une révolution dans notre système d'éducation. La grande responsable de ce changement est la Commission Parent, présidée par Mgr Alphonse-Marie Parent, qui a publié un rapport devenu célèbre. Qu'a-t-elle donc proposé pour transformer radicalement notre système d'éducation ?

Premièrement, à la suite des recommandations du *Rapport Parent*, on a modifié le curriculum des élèves, c'est-à-dire adapté et revu le contenu des matières enseignées de façon qu'il corresponde aux réalités et aux besoins des apprenants de l'époque.

À l'origine de cette réforme se trouvent les nombreuses inégalités, criantes au début des années 1960. Inégalité entre les sexes, les filles n'ayant à peu près pas accès à des études supérieures. Inégalités d'ordre économique, en raison des écarts de revenus. Inégalité sociale découlant des conditions de vie. Inégalités entre les commissions scolaires, entre le privé et le public, entre Canadiens français et Canadiens anglais. Cette réforme marque SURTOUT la fin du règne des institutions religieuses dans le système d'éducation. **L'école publique et pour tous** devient le slogan à la mode.

4. Référence : Guy Rocher, sociologue, conférence « Le système d'éducation au Québec », 11e colloque, SPPMEM, 16 novembre 2010, Bain-Mathieu, Montréal.

L'arrivée des écoles mixtes – impensables auparavant – prouve également qu'un vent de changement souffle. Les collèges classiques cèdent leur place aux polyvalentes, aux écoles techniques et aux cégeps. L'impact est positif, car tous ces changements favorisent l'accès aux études universitaires, jusque-là réservées à une élite bourgeoise.

Évidemment, on revoit la formation des maîtres, puisque les leaders pédagogiques doivent suivre le courant. Dorénavant, on exige une formation universitaire pour enseigner.

Les commissions scolaires, le Conseil supérieur de l'éducation, le ministère de l'Éducation voient le jour grâce à la Commission Parent. Décidément, l'appellation de « changement radical » qui y est associée n'est pas exagérée !

Voilà pourquoi cette réforme a laissé des traces considérables dans la société québécoise et que, encore aujourd'hui, nous bénéficions des travaux de cette commission.

Consultez le conseiller d'orientation de votre école afin de pouvoir guider et informer vos élèves concernant les différentes avenues qui s'offrent à eux pour la poursuite de leurs études. Vous voulez en savoir davantage sur les programmes, l'approche et le paradigme du renouveau pédagogique ? Reportez-vous au **Programme de formation de l'école québécoise** (PFEQ) produit par le MELS, au www.mels.gouv.qc.ca.

Du fond de la classe

par Georges Laferrière

LA RÉFORME... NOUVELLE ?

Du fond de la classe... j'écoutais l'équipe de direction de l'école et les conseillers pédagogiques de la commission scolaire parler du renouveau. Une journée pédagogique typique !

Devant moi, sur la table, un journal. Celui d'hier ou d'aujourd'hui ? Des nouvelles, vraiment ? Un contenu déjà périmé ? Des titres tellement percutants ! Me concernaient-ils vraiment ?

Des réflexions, à la lecture du journal. Tellement à l'unisson avec les commentaires des personnes assises devant moi. Qui précédait qui ?

Comme des médecins feuilletant le guide de nouveaux médicaments qui combattent de nouveaux virus. Comme des juristes lisant les récentes modifications aux lois pour défendre leurs clients. Comme des informaticiens mettant la dernière main à des programmes qui permettront d'éviter le piratage de données.

Les enseignants doivent mettre à jour le contenu de leur matière, modifier leur approche pédagogique, adapter leurs stratégies d'intervention... Des vérités, des nécessités et des obligations pour survivre dans le monde du travail.

Mais quand, comment, et où le faire ? À quel prix ? Au prix de quoi ? Attention, danger !

Épuisement professionnel, désengagement social, désintérêt des parents, diminution des ressources, relève mal préparée, dévalorisation de la profession...

Un concert de commentaires, de récriminations, de revendications sourdes, retenues, intérieures. Un abandon ? Une abdication ? Un cri de désespoir silencieux ?

Chacun a le droit de mettre ce qu'il veut dans le sens des mots et des événements. La justification étant une rationalisation qui fait notre affaire.

Tout changement provoque un malaise. Un malaise plus profond encore quand il s'agit des structures éducationnelles. Quel est le lieu de l'utopie dans la formation des enseignants et, également, le lieu de la prospective ?

Dans le journal, dernier au classement pourtant, l'équipe locale avait gagné hier. « Ça sent la Coupe ! » pouvait-on lire.

Puis, un commentaire d'un nouveau prof : « J'ai hâte à demain. J'enseigne ! » On savait tous que la passion transcenderait toujours toutes les réformes, les guerres et les inquiétudes.

Du fond de la classe, je les entendais tous parler de renouveau et, comme les élèves, je lisais le journal !

CHAPITRE 10

LA COMMISSION SCOLAIRE : PORTRAIT ET FONCTIONNEMENT

OBJECTIFS

- Découvrir le mode de fonctionnement de la commission scolaire et connaître les membres qui la composent.
- Découvrir les ressources dont dispose la commission scolaire et qui peuvent être utiles aux enseignants.

La commission scolaire vue de l'intérieur

Afin de mieux comprendre la structure et le fonctionnement d'une commission scolaire, nous vous proposons une entrevue que nous a accordée Me France Pedneault, secrétaire générale de la Commission scolaire de Montréal (CSDM). L'information qu'elle livre permet de mieux cerner les différentes instances qui composent une commission scolaire et vous incitera peut-être à découvrir la vôtre !

Rôle et composition

➤ ***Maître Pedneault, vous avez une formation d'avocate et vous occupez maintenant le poste de secrétaire générale de la CSDM. Expliquez-nous qui est à la tête d'une commission scolaire.***

France Pedneault: En vertu de la Loi sur l'instruction publique (LIP), la commission scolaire est administrée par un conseil des commissaires composé de personnes élues par la population et de représentants du comité de parents. Le conseil des commissaires décide des grandes orientations de la commission scolaire et doit rendre des comptes à la ministre de l'Éducation concernant sa gestion et les résultats de ses élèves.

De plus, comme il est indiqué dans la LIP, trois personnes doivent obligatoirement être nommées dans une commission scolaire:

1. le directeur général;
2. le directeur général adjoint;
3. le secrétaire général.

Ce sont des rôles essentiels, d'après la LIP. Le directeur général doit s'assurer d'avoir les ressources humaines nécessaires au bon fonctionnement de la commission scolaire.

➤ ***Quelles sont vos tâches et fonctions au sein de la commission scolaire ?***

Je suis secrétaire de deux instances, le **comité exécutif** et le **conseil des commissaires**. À ce titre, je convoque les assemblées, je rédige l'ordre du jour et je suis responsable des procès-verbaux et de l'authentification de certains documents de la commission scolaire. C'est mon rôle, tel que le définit la LIP.

À la CSDM, je suis aussi responsable de l'accès aux documents et de la protection des renseignements personnels.

Le directeur général m'a délégué cette fonction. Si l'on reçoit, par exemple, des requêtes provenant de journalistes, je pourrai leur acheminer certains documents en vertu de la Loi sur l'accès à l'information. J'ai également le mandat d'aider les parents à formuler et à faire parvenir des demandes au conseil des commissaires dans le cas où, par exemple, ils seraient insatisfaits d'une décision touchant leur enfant[1].

➤ ***Pouvez-vous nous expliquer la procédure lors d'une demande de révision ?***

À la CSDM, lorsque je reçois une demande d'un parent, je vérifie d'abord si la politique portant sur la résolution des différends a été respectée parce que, dans une saine gouvernance, on s'efforce de régler les conflits à la base. Donc, je vérifie si le parent a parlé au directeur d'école et à son supérieur immédiat. Si ces démarches ont été faites, je mets sur pied un comité de trois commissaires qui entendra le parent ainsi que la direction d'école et son supérieur immédiat s'il y a lieu. Ce comité agit uniquement à titre **consultatif** et s'assure de connaître les motifs de la décision ainsi que les raisons pour lesquelles le parent ou l'élève n'est pas d'accord avec cette décision. Je prépare ensuite un rapport qui sera présenté au conseil des commissaires. Celui-ci prendra la décision finale. Je traite en moyenne une quinzaine de cas par année.

Le conseil des commissaires

➤ ***Conformément à la Loi sur l'instruction publique, les commissions scolaires sont administrées par le conseil des commissaires. Expliquez-nous ce qu'est le conseil des commissaires.***

Le conseil des commissaires est composé de commissaires élus et de représentants des parents. À la CSDM, nous avons actuellement 21 commissaires élus. L'un d'eux est choisi comme président par le conseil des commissaires. Par contre, la Loi sur les élections scolaires ayant été modifiée, le nombre de commissaires va changer[2]. En vertu de la nouvelle loi, la CSDM devrait avoir 12 commissaires élus, en plus de la personne qui

1. Selon les articles 9 à 12 de la LIP, les parents peuvent demander au conseil des commissaires de réviser une décision.
2. Lorsque les dispositions entreront en vigueur, on aura quatre commissaires parents, dont l'un sera choisi parmi les parents d'élèves handicapés ou en difficulté d'adaptation ou d'apprentissage (HDAA). En attendant, un projet-pilote a été mis sur pied et un commissaire parent HDAA siège déjà au conseil des commissaires.

siège à la présidence et qui sera désormais élue au suffrage universel par la population. Cependant, on a demandé à ce que la CSDM ait 3 commissaires de plus, soit 15. Nous sommes toujours en attente d'une réponse de la ministre de l'Éducation, du Loisir et du Sport, puisque c'est cette dernière qui peut autoriser un nombre supérieur à celui prévu par la loi.

Donc, le conseil a des commissaires élus par la population, mais aussi des commissaires qui représentent les parents et qui sont choisis parmi les membres du comité de parents.

Actuellement, nous avons un commissaire représentant les parents d'élèves du primaire et un commissaire représentant les parents d'élèves du secondaire.

➤ *Qui peut assister à une séance du conseil des commissaires ?*

Les séances sont publiques. Les procès-verbaux et les ordres du jour sont disponibles sur Internet. Tous ceux qui le souhaitent peuvent venir dans la salle assister à la séance du conseil des commissaires.

Il est à noter que les séances se tiennent toutes les quatre semaines. Elles ont lieu la plupart du temps au centre administratif de la commission scolaire. Par contre, au moins trois ou quatre fois par année, le conseil tient sa séance dans une école ou dans un centre de formation professionnelle ou de formation générale des adultes.

PSITT !

Un enseignant qui veut en savoir plus sur une commission scolaire peut consulter les procès-verbaux et les politiques de l'institution, qui sont des documents publics, afin de se familiariser avec ses orientations, son mode de fonctionnement, etc.

Les commissaires

➤ *Qu'est-ce qu'un commissaire ? Quel est son rôle et quelles sont ses fonctions ?*

Les gens méconnaissent le rôle des commissaires scolaires. Ce sont des élus – au même titre qu'un député ou un conseiller municipal – dont le rôle, c'est-à-dire représenter la population, est maintenant reconnu par la LIP. En effet, les commissaires ont pour objectif d'améliorer les services éducatifs. Ainsi, ils aident à définir les orientations et les priorités de la commission scolaire et doivent informer le conseil des commissaires des besoins et des attentes de la population de leur circonscription. Ils veillent également à la pertinence et à la qualité des services éducatifs offerts par la commission scolaire et doivent s'assurer que la gestion des ressources humaines, financières et matérielles de la commission scolaire est efficace et efficiente. De plus, ils contribuent au développement des communautés locales, sont présents dans les écoles et répondent aux besoins des personnes qui sollicitent leur aide.

Il faut aussi ajouter que les élections scolaires, qui sont parfois remises en question, sont basées notamment sur le principe démocratique qu'il n'y a pas de taxation sans représentation ("*No taxation without representation*"). Comme il y a une taxe scolaire, les gens qui paient ces taxes doivent être représentés. C'est sur cette base que les élections scolaires reposent. Les commissaires représentent une circonscription, au même titre qu'un conseiller municipal ou un député provincial ou fédéral.

➤ *Parlez-nous des pouvoirs accordés en vertu de la LIP.*

La LIP a réparti les pouvoirs entre les différentes instances, soit les directions d'écoles primaires et secondaires, les directions des centres de formation professionnelle et de formation générale des adultes, les conseils d'établissement, le directeur général et la commission scolaire. Certaines décisions sont également laissées au **comité exécutif**.

Les pouvoirs confiés à la commission scolaire appartiennent au conseil des commissaires. Mais ce serait déraisonnable de croire que toutes les décisions, dans une commission scolaire, passent par ce conseil. Par conséquent, un article de la loi dit que le conseil peut déléguer certaines fonctions et pouvoirs à un comité exécutif[3] ou à des cadres.

Les règlements de délégation de pouvoirs sont adoptés par le conseil des commissaires de chaque commission scolaire. C'est ce qui détermine «qui peut faire quoi». Ils varient d'une commission scolaire à une autre. Les directions d'école ont donc des pouvoirs qui leur sont confiés par la LIP et d'autres pouvoirs qui leur sont délégués par le conseil des commissaires.

3. Article 174-LIP : « Le conseil des commissaires peut, par règlement, déléguer certaines de ses fonctions et certains de ses pouvoirs au directeur général, à un directeur général adjoint, à un directeur d'école, à un directeur de centre ou à un autre membre du personnel cadre. »

Le comité exécutif

➤ *Qu'est-ce qu'un comité exécutif?*

Notre comité exécutif est formé de sept commissaires élus parmi les membres du conseil des commissaires et de deux commissaires parents (l'un représente les parents d'enfants du secondaire et l'autre, ceux des enfants du primaire).

Que ce soit au conseil des commissaires ou au comité exécutif, les commissaires parents n'ont pas le droit de vote. Ils sont élus par le comité de parents une fois par année[4].

➤ *Donnez-nous des exemples de décisions prises par les différentes instances d'une commission scolaire.*

C'est le **conseil des commissaires** qui adopte toutes les politiques (ex. : la Politique sur les commandites ou la Politique sur les fondations). Le plan **RÉUSSIR** de la CSDM a été adopté par le conseil des commissaires. Ce plan a une incidence directe sur les écoles. Pour sa part, à la CSDM, le comité exécutif attribue les contrats de plus de 100 000 $.

➤ *Si un enseignant ou un membre d'une équipe-école désire soumettre un projet, quelles sont les étapes à respecter pour maximiser les chances de le faire accepter?*

Tout dépend du type de projet. Plusieurs sont du ressort de l'école, et la direction (ou le conseil d'établissement) peut les approuver. Si le projet dépasse les pouvoirs de la direction ou du conseil d'établissement, il faudra alors le présenter à la personne ou à l'instance qui peut l'autoriser. Le tout se fait sous forme de rapports qui sont rédigés par le service concerné.

Dans les faits, si un enseignant veut proposer un projet qui dépasse le cadre de l'école, il devra le soumettre à la direction, qui le présentera à son supérieur immédiat. À son tour, celui-ci remettra ce rapport à l'instance appropriée (comité exécutif ou conseil des commissaires).

Si le projet implique une dépense, c'est le montant d'argent en jeu qui déterminera quelle instance pourra décider, selon les règlements de délégation de pouvoirs. Par exemple, si le projet consiste à rénover une cour d'école, il faut procéder

4. Les élections ont lieu au mois d'octobre. Le 1er dimanche de novembre, les commissaires parents entrent en fonction.

à un appel d'offres; si l'offre dépasse le montant du pouvoir de délégation de la direction, il faudra que l'instance appropriée approuve le projet.

➤ *Il y a donc des règles et des procédures à respecter.*

Il ne faut pas confondre **disponibilité budgétaire** et **délégation de pouvoirs**.

Prenons l'exemple d'un projet qui prévoit l'achat de matériel pour un montant de 10 000 $. Si la direction de l'école n'a pas le budget requis pour cet achat, même s'il s'agit d'un achat qu'il lui est permis de faire dans sa délégation de pouvoirs, le projet ne pourra prendre forme. Par contre, si le projet prévoit un achat de 50 000 $, même si la direction est en accord avec le projet et déclare qu'elle a le budget nécessaire pour cette dépense, elle n'a pas le pouvoir, en vertu des règlements de délégation de pouvoirs, de procéder à un achat d'un pareil montant. La direction devra s'adresser à son supérieur immédiat pour cet achat. De plus, il faudra s'assurer d'avoir respecté toutes les procédures d'acquisition.

Merci à Me France Pedneault, qui a bien voulu répondre à nos questions et nous éclairer sur le fonctionnement des commissions scolaires. Mme Pedneault est secrétaire générale de la Commission scolaire de Montréal (CSDM), qui regroupe au Québec le plus grand nombre d'établissements, d'élèves et d'employés[5].

5. La CSDM compte près de 110 000 élèves, dont 70 270 au secteur des jeunes, répartis dans 191 établissements scolaires : 123 établissements de l'ordre d'enseignement du primaire, 26 établissements de l'ordre d'enseignement secondaire, 2 établissements combinant les ordres primaire et secondaire, 9 centres de formation professionnelle et 15 centres de formation générale des adultes. Une quinzaine sont destinés exclusivement aux élèves handicapés ou en difficulté d'adaptation ou d'apprentissage (EHDAA) ; 13 952 élèves sont inscrits en formation professionnelle et environ 1 élève sur 7 a moins de 20 ans. La CSDM a 16 000 employés réguliers et non réguliers, ce qui la classe parmi les principaux employeurs de la région métropolitaine. Source : http://www.csdm.qc.ca/CSDM/CSDMChiffres.asp.

par Georges Laferrière

LE JEU DE SOCIÉTÉ

Du fond de la classe… il rêvassait tranquillement. Seul — moment rare dans une classe —, il se surprit à s'amuser avec un jeu de société, celui des échelles et des serpents.

Un jeu de société représentatif de la société… et de ses structures. Avec des hauts et des bas. Des retours en arrière et des propulsions vers l'avant. Un jeu où les participants doivent composer avec les règles, les codes et les autres joueurs.

Mais que faisait ce jeu sur un pupitre au fond de la classe ? S'agissait-il d'un oubli de la part d'un élève ? D'un outil pédagogique utilisé par M. Herrero, le prof de langue seconde ? Ou d'un objet sans histoire, qui transite depuis plusieurs semaines d'un endroit à l'autre sans qu'on connaisse sa provenance exacte ?

Comme dans le jeu, quelle est la part du hasard dans la société ? Comme dans le jeu, qui se rappelle l'origine de l'organisation ? Comme dans le jeu, qui connaît les responsables du fonctionnement ? Les penseurs ?

Pourtant, le hasard fait si bien les choses ! Mais s'agit-il vraiment d'un hasard ? Ne serait-ce pas une ignorance du fonctionnement ? Ou simplement une méconnaissance des personnes impliquées ?

Secrétaire général, comité exécutif, conseil des commissaires… Des échelles ou des serpents, pensait-il en avançant un pion sur le jeu.

Oups ! Un retour en arrière… un serpent ! Il faut remplir un formulaire pour obtenir les budgets nécessaires à l'activité désirée pour le cours de la prochaine étape. Pourtant, c'était bien dans les directives remises en début d'année scolaire.

Wow ! Un bond en avant... une échelle ! La personne rencontrée aux Ressources humaines nous a mis sur une piste ignorée au départ. Vraiment gentille, cette personne... La connaissais-tu ? Pas moi.

Pas encore ! Attendez votre tour ! La politique est formelle, il faut prendre un rendez-vous pour présenter un projet... Ne pas improviser !

Presque rendu ! Encore un petit trajet et... Ah non, pas encore une glissade ! Vraiment, si j'avais su ! Quoi ? C'était écrit sur le babillard depuis un mois ? Je ne te crois pas !

Comme beaucoup de personnes, il pensait connaître le jeu. Pourtant, il inventait des règles et en modifiait d'autres pour arriver à son but. Enfin, terminé ! Ai-je vraiment gagné ? pensait-il, réalisant qu'il jouait seul !

Puis distraitement, du coin de l'œil, par hasard, il vit un petit bout de papier collé dans le couvercle du jeu. C'était écrit « Règlements ».

Du fond de la classe, il ramassa le jeu et, comme les élèves, il ignorait où le ranger !

CHAPITRE 11

SOLLICITER UN EMPLOI DANS UNE COMMISSION SCOLAIRE

OBJECTIFS

- Connaître les procédures à respecter pour solliciter un emploi dans une commission scolaire.
- Découvrir les différentes avenues offertes aux enseignants.

Les étapes d'embauche dans une commission scolaire

Vous venez de décrocher votre baccalauréat en enseignement – ou vous l'obtiendrez prochainement – et, après ces quatre années d'effort, vous êtes à la recherche d'un contrat dans une école ? Les pistes de solutions décrites ici orienteront vos démarches.

PSITT !

Important : Les pages suivantes expliquent les principales étapes d'embauche dans une commission scolaire pour obtenir un contrat ou un poste d'enseignant. **Les procédures en vigueur diffèrent d'une commission scolaire à l'autre.** Par conséquent, renseignez-vous auprès du Service des ressources humaines de la commission scolaire qui vous intéresse avant d'y poser votre candidature, question de connaître les modalités, procédures et données que requiert l'ouverture d'un dossier.

Bonne chance dans vos démarches !

Les questions le plus fréquemment posées

➤ ***Je viens de terminer mon baccalauréat. Quelles démarches dois-je entreprendre pour solliciter un emploi dans le secteur de la formation générale des jeunes (préscolaire, primaire et secondaire) ou dans un centre d'éducation aux adultes ?***

Voici ce que recommande le Bureau de recrutement, des stages et du développement des compétences de la Commission scolaire de Montréal (CSDM) : le postulant devrait, dès la fin de la dernière session du baccalauréat en enseignement – et même s'il n'a pas encore son relevé de notes final indiquant que ses études sont terminées –, faire ouvrir un dossier à son nom à la commission scolaire en s'adressant au Service des ressources humaines, puisque le recrutement y est centralisé. Son nom s'ajoutera alors à l'une des listes d'emploi, soumises à un ordre de priorité : celle des enseignants a priorité sur la liste des enseignants nouvellement engagés, qui elle-même a préséance sur la liste des étudiants.

Dès leur embauche, les enseignants sont admissibles à la suppléance occasionnelle et aux contrats, qui leur seront offerts selon leur priorité d'emploi.

Dans le secteur de la formation générale des adultes, ce sont les centres qui se chargent de la suppléance occasionnelle dans leurs établissements. Dans le cas de la formation générale des jeunes (préscolaire, primaire et secondaire), la suppléance occasionnelle est gérée comme suit : **au préscolaire, au primaire et dans les écoles faisant partie du réseau des Élèves handicapés ou en difficulté d'adaptation ou d'apprentissage (EHDAA)**, ce sont les répartiteurs du Service des ressources humaines qui se chargent de trouver des suppléants ; **au niveau secondaire**, les écoles sont responsables de la suppléance au quotidien.

En ce qui concerne la **formation générale des adultes et l'enseignement au secondaire**, on recommande aux postulants de se présenter dans les écoles et de mentionner qu'ils sont prêts à faire de la suppléance. **Mais les enseignants doivent déjà avoir été engagés par le Service des ressources humaines.**

À la CSDM, l'embauche se fait tout au long de l'année, en fonction des demandes. Les nouveaux diplômés ont donc intérêt à consulter assidûment le site de la commission scolaire, puisque les besoins sont mis à jour régulièrement.

Ceux et celles qui désirent enseigner dans le secteur de la formation générale des adultes seront convoqués à une entrevue d'embauche avec un membre de la direction du centre d'éducation aux adultes et un conseiller pédagogique disciplinaire. Les candidats retenus sont inscrits sur une liste et font partie d'une banque, en fonction de leur discipline, de leur spécialité.

Les enseignants qui regardent du côté de la formation générale des jeunes seront convoqués à une séance d'engagement.

Ceux et celles qui ont un baccalauréat en enseignement au secondaire ignorent souvent que leur formation leur permet de travailler dans le secteur de la formation générale des adultes, précise-t-on au Bureau de recrutement, des stages et du développement des compétences. Pendant leur formation universitaire, les étudiants dont la spécialité est populaire peuvent commencer à enseigner à des clientèles diverses, jeunes et adultes. Certains enseignent le soir, la fin de semaine, au cours de l'été ou à d'autres moments, dans des centres pour adultes, et ce, pendant leur formation universitaire. Dans le secteur de la formation générale des jeunes, les étudiants n'enseignent que le jour, durant l'année scolaire. Ils ont la chance de pouvoir appliquer leurs connaissances et leurs apprentissages en milieu de travail moyennant un salaire intéressant tout en poursuivant leurs études, et ils l'apprécient.

Selon M. Jean-Pierre Lefebvre, conseiller en gestion du personnel, services éducatifs et ressources humaines à la Commission scolaire de la Rivière-du-Nord (CSRDN), la première étape consiste à déposer son curriculum vitæ sur le site Internet de la commission scolaire, si ce service y est offert. Il suggère ensuite de participer aux séances d'information que proposent plusieurs commissions scolaires. Il faut se renseigner auprès du Service des ressources humaines de la commission scolaire où vous désirez travailler.

Puisque chaque commission scolaire a son mode de fonctionnement et que les procédures d'embauche ne sont pas uniformes, le site de la commission scolaire (ou d'une communauté virtuelle) constitue un précieux outil qui orientera vos démarches professionnelles. On y trouve de l'information concernant l'insertion professionnelle, les listes de priorité, la permanence, etc.

« Chez nous, tout passe par les Ressources humaines, dit M. Dominique Lapalme, directeur de l'école primaire Saint-Jean-Baptiste de la Commission scolaire des Grandes-Seigneuries (CSDGS). Je conseille quand même aux jeunes enseignants d'aller dans les écoles pour se faire connaître… et provoquer le destin ! »

➤ *Quels documents dois-je présenter lorsque je soumets ma candidature dans une commission scolaire ?*

Dans la majorité des commissions scolaires, l'ouverture d'un dossier requiert la présentation de quatre documents :

1. **le CV ;**
2. **le brevet d'enseignement ou le permis d'enseigner délivré par le ministère de l'Éducation, du Loisir et du Sport (MELS) ;**
3. **les résultats du test de français[1] du CÉFRANC, SEL ou TECFÉE ;**
4. **le dernier relevé de notes.**

À la CSDM, les postulants seront convoqués à une rencontre d'information relative à une séance d'engagement (secteur des jeunes) ou à une entrevue d'embauche (éducation aux adultes). Ils devront remplir le formulaire *Déclaration relative aux antécédents judiciaires* qui, comme son nom l'indique, permet de vérifier les antécédents judiciaires des candidats.

Sept documents essentiels sont requis pour que le dossier soit complet :

1. Il est possible qu'un seuil de passage, selon la discipline, soit fixé par la commission scolaire pour pouvoir enseigner dans les secteurs de la formation générale des jeunes et de la formation générale des adultes. Le seuil peut différer d'une commission scolaire à l'autre.

1. les relevés de notes originaux du secondaire, du collégial et de l'université ;
2. les diplômes originaux associés à ces relevés de notes (secondaire, collégial, universitaire) ;
3. un extrait de naissance (original)[2] ;
4. une preuve de citoyenneté canadienne (ou de résidence permanente, pour une naissance à l'extérieur du Québec) ;
5. un numéro d'assurance sociale valide ;
6. une pièce d'identité avec photo ;
7. un spécimen de chèque.

« Il est important que les documents soient remis au Service des ressources humaines et non à la direction des écoles. Ces précieuses données doivent rester à la commission scolaire et ne pas être éparpillées dans les écoles ! » précise M. Lefebvre.

➤ *Je suis un étudiant au baccalauréat en enseignement. À partir de quand puis-je soumettre ma candidature pour faire de la suppléance ou travailler occasionnellement dans une école dans le secteur des jeunes ou dans un centre d'éducation aux adultes ?*

Tout dépend des commissions scolaires, mais les étudiants pourraient faire de la **suppléance occasionnelle**, en fonction **de leurs disponibilités et s'il y a une demande pour leur spécialité ou champ d'enseignement**, dès l'obtention de **30 crédits**. Du côté de la formation générale des adultes, 30 crédits sont également exigés, mais une entrevue d'embauche est obligatoire. Certaines commissions scolaires ont des exigences particulières. La CSDM, par exemple, demande que les étudiants soient inscrits à temps plein au baccalauréat en enseignement dans une université québécoise.

➤ *Quel est le moment de l'année le plus favorable pour solliciter un emploi dans une commission scolaire ?*

M. Lefebvre signale qu'il y en a plusieurs. Par exemple lors des journées de recrutement ou des périodes de renouvellement de contrat.

« À la rentrée, la plupart des postes sont pourvus, dit-il. En août, les candidats peuvent se présenter à une assemblée de placement où sont affichées les tâches restantes, et avoir accès

2. Les éléments des points 3, 4, 5, 6 et 7 sont exigés à la CSDM seulement lorsque la candidature est retenue.

aux listes de suppléance et à la liste des contractuels. Deux périodes sont particulièrement favorables à l'obtention d'un contrat : août et janvier. » M. Lefebvre précise qu'il existe à la CSRDN une foire de l'emploi qui fonctionne sur invitation : pour être invité, on doit préalablement (mois de mai ou juin précédent) avoir rencontré quelqu'un du Service des ressources humaines de la CSRDN.

Le Bureau du recrutement, des stages et du développement des compétences de la CSDM est d'accord avec les propos de M. Lefebvre et souligne que la commission recrute toute l'année. Les meilleures périodes pour postuler sont août, septembre et janvier. Dans le secteur de la formation générale des jeunes, il existe ce qu'on appelle la 101e journée – qui est en fait la mi-année scolaire –, qui tombe en janvier. C'est un peu comme si on commençait une nouvelle année scolaire. C'est la période des congés sans traitement, des retraites qui débutent le 1er janvier ou le 30 juin, auxquels s'ajoutent des congés de maladie et de maternité. Cette période de l'année est donc un bon moment pour postuler.

Par ailleurs, en formation générale des adultes de la CSDM, on organise cinq assemblées de placement. Il y a donc cinq périodes de recrutement et des postes à pourvoir tout au long de l'année. Lorsqu'on cherche un contrat d'enseignement, il y a un peu plus de flexibilité dans ce secteur. Tout dépend, évidemment, de la spécialité et de la qualité de l'entrevue du candidat.

➤ *Est-il avantageux d'aller rencontrer les directions des écoles afin de soumettre ma candidature ?*

« Oui, toujours, affirme M. Dominique Lapalme, directeur de l'école primaire Saint-Jean-Baptiste. Souvent, à la fin août, certaines directions d'école se creusent la tête pour pourvoir des postes qui se sont ajoutés à la dernière minute. La rencontre en personne demeure la meilleure façon de se faire connaître. Et les postulants doivent veiller à ce que le Service des ressources humaines et les écoles secondaires ne les oublient pas. Il est essentiel de faire un rappel de leur disponibilité. »

M. Lefebvre approuve cette démarche, soulignant que le dossier du candidat doit déjà être ouvert au Service des ressources humaines, étant donné que la direction ne peut engager d'enseignants. Elle pourra cependant s'assurer que la commission scolaire a le dossier du candidat convoité et demander où celui-ci se situe sur la liste de priorité, par exemple.

À la CSDM, si toutes les démarches ont été faites (ouverture de dossier et entrevue d'embauche réussie[3]), un enseignant pourrait toujours contacter une école pour lui offrir ses services à titre de suppléant. Mais il ne doit pas oublier que la suppléance au primaire et dans les écoles spécialisées du réseau EHDAA est gérée par les répartiteurs. Il est donc inutile de se présenter dans ces écoles.

Il faut le répéter : **comme les procédures diffèrent selon les commissions scolaires et le nombre d'établissements, il est important de respecter les étapes**.

➤ *Y a-t-il des solutions de rechange, d'autres fonctions que je pourrais occuper dans une école avant la fin de mes études ou si je ne décroche pas de contrat ?*

À l'unanimité, les personnes interrogées affirment que la suppléance occasionnelle demeure le meilleur choix. Pour ajouter son nom à la liste de suppléance, il suffit de suivre les étapes du processus d'embauche.

➤ *Quel conseil est le plus utile à un nouvel enseignant ?*

Il doit se servir des ressources mises à sa disposition pour faciliter son insertion professionnelle. M. Lefebvre indique que cette insertion peut se faire à trois niveaux : par l'établissement scolaire, par le Service des ressources éducatives et par celui des ressources humaines. Il est important de consulter chaque instance pour connaître ce qui est proposé aux futurs enseignants.

Plusieurs commissions scolaires organisent des séances d'information et d'accueil où les nouveaux enseignants trouveront des réponses à leurs questions. On y aborde des thèmes comme la paie, la convention collective, la liste de priorité, etc. Ces rencontres sont utiles puisqu'elles permettent de se familiariser avec son futur milieu de travail.

« Trouvez un mentor, suggère aussi M. Lapalme. Certaines écoles ont mis sur pied des programmes en ce sens pour les enseignants qui ont moins de cinq ans d'expérience. Sur le plan de la pédagogie, soyez rigoureux et assidu. La meilleure gestion de classe passe par l'organisation et la planification. Rigueur dans le travail, rigueur dans les interventions. »

3. Pour le secteur des adultes seulement.

➤ *Le mot de la fin...*

« Il est important que les enseignants aient des attentes réalistes lorsqu'ils entreprennent une démarche de premier contrat dans une école, dit M. Lefebvre. Certains pensent obtenir la permanence dès la première année, ou ils s'imaginent qu'ils auront une tâche complète. C'est possible s'il s'agit de matières où on observe une pénurie d'enseignants[4], mais ce n'est pas le cas dans toutes les matières. Le contexte régional de la population à desservir joue aussi pour beaucoup. En général, conclut-il, un enseignant peut obtenir une tâche pleine, mais en faisant certains compromis. »

M. Dominique Lapalme ajoute qu'il faut rester ouvert. « Être inflexible et penser que "dans notre temps, c'était tellement mieux" n'est pas une attitude gagnante. Chaque génération a ses défis. L'adolescent d'aujourd'hui est né dans une société de consommation. C'est un phénomène relativement nouveau dans l'histoire. Il est important de connaître sa clientèle et d'adapter son enseignement à ses apprenants. On peut aussi tirer profit de ses expériences. On peut tous faire des erreurs, mais on ne doit pas les répéter ! Soyez à l'écoute de vos élèves, établissez des relations humaines avant tout. La clé, c'est la fermeté, pas la rigidité. Trouvez votre couleur, trouvez votre style d'enseignement. C'est vraiment le plus beau métier du monde ! »

L'information de ce chapitre a été recueillie grâce à la généreuse collaboration de M. Jean-Pierre Lefebvre, conseiller en gestion du personnel, services éducatifs et ressources humaines à la ***Commission scolaire de la Rivière-du-Nord****, de M. Dominique Lapalme, directeur de l'école primaire Saint-Jean-Baptiste de la* ***Commission scolaire des Grandes-Seigneuries****, ainsi que du Bureau de recrutement, des stages et du développement des compétences du Service des ressources humaines de la* ***Commission scolaire de Montréal****.*

4. La pénurie d'enseignants dans les disciplines diffère d'une commission scolaire à une autre.

Du fond de la classe

par Georges Laferrière

LE PREMIER EMPLOI

Du fond de la classe, je regardais le stagiaire. Belle naïveté. Beaux élans de passion. Beaucoup d'illusions. Plein d'ardeurs. Une belle personnalité !

Mais... avec un doute, peut-être ? Un je-ne-sais-quoi d'hésitation à peine perceptible ! Rien à voir avec son cours. Tout simplement avec lui. Des interrogations. Des questions.

Aujourd'hui... c'était une journée de suppléance. Un autre aspect de la réalité scolaire se présentait à lui. Comme si le monde de l'enseignement venait de lui apparaître sous un nouveau jour. Un univers différent et si réel. D'un réalisme froid ! Une réalité cruelle, pensait il !

Son sourire était devenu énigmatique, le temps d'un instant fugace ! Son regard s'était détourné des élèves, un moment perdu ! Ses gestes s'étaient paralysés, quelques secondes dans le vide ! Son cœur avait cessé de battre, une syncope minime ! Son écoute faisait écho dans sa tête, en boucle de minutes répétitives !

Pourtant, la réponse débordait de son « sac d'école ». De temps en temps, il y jetait un coup d'œil. Pour mieux s'en détourner immédiatement. Comme si cela n'avait pas d'importance. Mais il était bien là. Le formulaire à remplir.

Pourquoi ? Ça ne cessera donc jamais ? Devrais-je toujours prouver ma valeur ? N'est-ce pas évident...

Comme un premier choix dans le sport professionnel... comme un candidat à une audition... comme un avocat à son examen du barreau, comme l'interne à l'hôpital... Non seulement faut-il faire ses preuves, démontrer sa maîtrise du sujet, exhiber ses talents, séduire les responsables, surpasser les autres concurrents, mais il fallait remplir le formulaire. Consulter le site de la commission scolaire. Faire le pied de grue lors des journées de recrutement. Cogner aux portes des écoles pour rencontrer les directeurs. Se faire tirer le portrait. Ouvrir son dossier aux ressources humaines… et quoi encore ?

Remplir le formulaire qui dépassait… non seulement du sac d'école… mais aussi de ses pensées.

Car, avant de commencer sa période de suppléance, il avait lu qu'un poste n'était pas assuré automatiquement là où il voudrait enseigner. Existait le bassin… là où l'on affiche les tâches restantes.

Comme le premier espoir dans le sport professionnel, il ne pourra pas choisir son équipe. Il devra passer par le repêchage ! Et, pourtant, il aimait tellement les élèves de cette école, le milieu, les collègues.

Du fond de la classe, je le sentais préoccupé et, comme les élèves, je me disais un autre test… maudit document à remplir !

CONCLUSION

En observation

RENOUVELER SES VŒUX

(Témoignage de Sophie Martel, première année d'enseignement)

Fin juin, assise devant la classe d'une collègue, je surveille un examen. Trente-deux élèves s'affairent à noircir les pages de leur précieux document. Certains mâchouillent un crayon, d'autres tapent du pied, concentrés comme je les ai rarement vus. L'un d'eux semble nerveux, je ne le lâche pas des yeux… Où a-t-il dissimulé ses réponses ? C'est d'une évidence ! Il passe plus de temps à me regarder qu'à regarder sa copie… Pauvre lui, tant de temps perdu pour un petit bout de papier qu'il ne réussira pas à sortir, parce que je le fixe depuis le début de l'examen.

J'inscris au tableau qu'il leur reste 10 minutes avant de rendre leur copie. Mouvement de masse synchronisé dans un soupir et une agitation partagés. Pour une fois, ils sont tous unis par le même désir : finir à temps, réussir cet examen et surtout quitter cette classe… C'est leur dernière journée ! Tout en observant mon apprenti tricheur, je me remémore ma première journée dans cette école, ma première étape, ma première rencontre avec les parents. Le jour où j'ai dû improviser pendant une période parce que je n'avais pas reçu mes photocopies…

La première expulsion d'un élève, la soirée passée à angoisser, à anticiper la période où je reverrais l'élève, à me préparer des répliques autoritaires… et ma surprise de le voir venir me saluer en souriant… Il avait donc oublié ? N'éprouvait-il pas de rancœur ? Avait-il compris qu'il avait tort ? Ou était-il simplement passé à autre chose, comme j'aurais dû le faire moi aussi la journée terminée ? Quelle leçon ! Les premières corrections, les remises de notes, les rencontres de personnel, les journées pédagogiques… Les fous rires avec mes collègues entre deux périodes, les moments de découragement communs et les périodes creuses, en novembre et en février ! Le doute, les convictions, les stratégies pédagogiques. Je ne suis plus la même.

Fatiguée, épuisée ? Certes. Heureuse et satisfaite ? Encore plus. Je termine ma première année scolaire. J'aurai quelques semaines pour refaire le plein et me retrouver, moi, la fille, pas l'enseignante. Au fait, peut-on vraiment dissocier les deux ?

Lorsque, en lisant un article de journal, je pense à ma classe, et qu'en regardant un documentaire je me dis qu'il cadrerait bien avec le module en cours, je vois bien que la dissociation ne pourra se faire. L'individu et l'enseignante sont maintenant soudés, fusionnés, se bonifiant l'un l'autre, et font partie de moi.

Fin de l'examen. Ils me remettent leurs copies. Je les salue, décoiffe le pauvre « magicien » déçu, qui n'a pas réussi à faire apparaître ses précieuses réponses dissimulées je ne sais où… Cris, rires, brouhaha strident dans le corridor, l'école est finie ! J'efface le tableau. J'empile les copies et les glisse dans une enveloppe. Je souris. C'est décidé, je continue. L'an prochain, je reviens. Je suis une enseignante et j'aime mon travail.

Du fond de la classe

par Georges Laferrière

LA BELLE JOURNÉE !

Du fond de la classe... comme Patrice, je ramassais mes choses. La cloche allait sonner. Le moment de partir arriverait dans quelques instants.

Il était beau à voir devant la classe. Il avait retrouvé sa superbe d'antan. Les élèves l'entouraient et blaguaient avec lui.

Puis, Maryse, sûrement distraite ou pressée, accompagnée d'étudiants poussant un chariot rempli de matériel, a débarqué en chantant.

Mme Lamothe, passant dans le corridor au même moment, arborait un large sourire tout en remontant ses cheveux gris sur sa nuque.

Quelle belle image ! Quelle situation dynamique et stimulante de la vie d'une école !

Pourtant, quelques instants auparavant, Patrice avait expulsé un élève de la classe, celui-là même qui poussait le chariot avec Maryse. Coquine, Mme Lamothe souriait sûrement à la suite d'une remarque captée à l'insu de cet élève, toujours le même.

Malgré le tumulte, on entendit une moquerie volontaire. « Allez, ouste ! Dehors, tu connais le code ! » Cet élève, reprenant les mots si souvent prononcés à son égard, faisait un clin d'œil d'excuses, complétait sa phrase : « Et n'oublie pas ton Ritalin ! »

Le génie du prof consiste à récupérer le génie du groupe et à le relancer à un second niveau. De là l'importance de la récupération de l'irrationnel de la situation.

Lentement mais sûrement, le temps avait fait son œuvre.

La patience, le plaisir, la passion...

L'aide, l'entraide, la complicité...

L'entêtement, la persistance, le refus de céder...

La joie, le rire, le sourire...

La rigueur et la souplesse, la souplesse et la rigueur...

La confiance, la compréhension, l'oubli...

Le rêve, le désir, l'enchantement...

Bien des émotions et des sentiments partagés avec nos élèves et nos collègues. Eux qui nous le rendent bien, pour peu qu'on sache les écouter, les regarder et leur parler.

Finalement, la cloche retentit !

Du fond de la classe... Fébrile comme au début et pressé d'aller ailleurs, comme les élèves, je sortais de la classe !

Remerciements

Merci à toutes les personnes qui ont permis la réalisation de cet ouvrage. Sans leur généreuse collaboration, ce guide n'aurait pu contenir ces précieuses informations, spécifiques à chacune des professions. Merci d'avoir pris le temps de répondre à mes nombreuses questions !

Merci à Mmes Mélanie Martel, psychoéductarice, et Marie-Josée Lemelin, technicienne en éducation spécialisée, à l'école secondaire Père-Marquette de la Commission scolaire de Montréal (CSDM).

Merci à Mme Sonia Bond, conseillère pédagogique à l'école secondaire Saint-Henri ainsi qu'à M. Benoît Graton, conseiller pédagogique à l'école secondaire Lucien-Pagé de la CSDM.

Merci à M. Sylvain Gervais, coordonnateur au Réseau des établissements scolaires de la formation professionnelle de la CSDM.

Merci à M. Jean-François Dufour, conseiller d'orientation et analyste au Réseau des établissements scolaires de la formation professionnelle, à Mme Céline Robert, conseillère pédagogique du Réseau des écoles spécialisées pour élèves handicapés ou en difficulté d'adaptation ou d'apprentissage (EHDAA) ainsi qu'à l'équipe des conseillers pédagogiques du Réseau Nord (mathématiques) de la CSDM.

Merci à M. Jean-Pierre Lefebvre, conseiller en gestion du personnel, services éducatifs et ressources humaines à la Commission scolaire de la Rivière-du-Nord (CSRDN), à M. Dominique Lapalme, directeur de l'école primaire Saint-Jean-Baptiste de la Commission scolaire des Grandes-Seigneuries (CSDGS), ainsi qu'au Bureau du recrutement, des stages et du développement des compétences de la CSDM.

Merci à Mme Sophie Mongrain, conseillère pédagogique de français pour la formation professionnelle à la CSDM.

Merci à Me France Pedneault, secrétaire générale de la CSDM.

Merci à Mme Élisabeth Savard, orthopédagogue et titulaire d'une classe de troubles du langage à l'école primaire Charles-Lemoyne de la CSDM.

Merci à M. Michel Mayrand, secrétaire au Bureau exécutif du Syndicat des professionnelles et des professionnels du milieu de l'éducation de Montréal (SPPMEM), CSQ.

Merci à M. Georges Laferrière, ce professeur qui a cru en moi, comme en tous ses étudiants. Merci pour les nombreuses rencontres, les lectures, les discussions, les encouragements, pour avoir développé mon projet et collaboré à sa réalisation. Merci d'avoir été et d'être toujours un mentor.

Merci aux professionnels, au personnel de soutien, aux directions d'école et à tous ceux qui travaillent en milieu scolaire. L'éducation est une responsabilité commune et chaque action est importante. Merci à ceux qui guident et facilitent l'insertion professionnelle de la relève. La vision de l'enseignement, l'engagement et les idées de ces nouveaux enseignants sont une richesse pour le milieu scolaire. Faisons en sorte qu'ils puissent développer pleinement leur potentiel en leur fournissant des conditions gagnantes.

Finalement, merci aux enseignants pour leur travail, leur dévouement et leur persévérance. Merci de contribuer à façonner la relève !

Isabelle Dion, conseillère pédagogique
Mars 2012

RÉFÉRENCES ET RESSOURCES

- Alliance des professeures et professeurs de Montréal. **[www.alliancedesprofs.qc.ca]**
- Boal, A. *Stop ! c'est magique*, Paris, L'Échappée belle/Hachette, 1980.
- Comité patronal de négociation pour les commissions scolaires francophones. *Plan de classification : emplois de professionnels*, février 2011. **[www.cpn.gouv.qc.ca]**
- Comité patronal de négociation pour les commissions scolaires francophones. *Entente intervenue entre le comité patronal de négociation pour les commissions scolaires francophones (CPNCF) et la Fédération autonome de l'enseignement (FAE) pour le compte des syndicats d'enseignantes et d'enseignants*, juillet 2011. **[www.lafae.qc.ca]**
- Commission royale d'enquête sur l'enseignement dans la province de Québec. *Rapport de la Commission royale d'enquête sur l'enseignement dans la province de Québec* (Rapport Parent), 5 vol., Québec, Gouvernement du Québec, 1963-1965.
- Commission royale d'enquête sur l'enseignement dans la province de Québec. *Les structures pédagogiques du système scolaire.* A. *Les structures et les niveaux de l'enseignement*, Rapport Parent, tome II. Québec, Gouvernement du Québec, 1964.
- Gide, A. *Les nourritures terrestres*, Paris, Gallimard, 1987.
- Gouvernement du Québec, *Loi sur l'instruction publique*, 1er février 2012. **[www2.publicationsduquebec.gouv.qc.ca/dynamicSearch/telecharge.php?type=2&file=/I_13_3/I13_3.html]**
- Guimond, G. « La réforme de l'éducation et le renouveau pédagogique au Québec : les faits saillants printemps », dossier Les collégiens et les collégiennes de 2010, *Pédagogie collégiale*, vol. 22, nº 3, printemps 2009.
- Legendre, R. *Dictionnaire actuel de l'éducation*, 3e édition, Montréal, Guérin, 2005, 1 554 p.
- Ministère de l'Éducation, du Loisir et du Sport. *L'école, j'y tiens ! – Tous ensemble pour la réussite scolaire*, Bibliothèque et Archives nationales du Québec, 2009. **[www.mels.gouv.qc.ca/sections/reussitescolaire/]**
- Ministère de l'Éducation, du Loisir et du Sport. *L'organisation des services éducatifs aux élèves à risque et aux élèves handicapés ou en difficulté d'adaptation et d'apprentissage (EHDAA)*, Gouvernement du Québec, nº 2007-07-00523. **[www.mels.gouv.qc.ca/DGFJ/das/orientations/pdf/19-7065.pdf]**
- Ministère de l'Éducation, du Loisir et du Sport. *Programme de formation de l'école québécoise (PFEQ), Éducation préscolaire et primaire*, Bibliothèque nationale du Québec, 2006.
- Ministère de l'Éducation, du Loisir et du Sport. *Programme de formation de l'école québécoise (PFEQ), Enseignement secondaire, premier cycle*, Bibliothèque nationale du Québec, 2006.
- Ministère de l'Éducation, du Loisir et du Sport. *Programme de formation de l'école québécoise (PFEQ), Enseignement secondaire, deuxième cycle*, Bibliothèque et Archives nationales du Québec, 2007.
- Radio-Canada, archives. *40 ans après la réforme de l'éducation,* entrevue diffusée le 30 mars 2000. **[archives.radio-canada.ca/societe/education/clips/1152/]**